ENIGMA

Du même auteur, dans la même collection :

Dans la peau d'une autre
Dans tes rêves

Collection dirigée par Guillaume Lebeau

RAGEOT * THRILLER

Cet ouvrage a été imprimé sur un papier
issu de forêts gérées durablement,
de sources contrôlées.

Couverture : © caracterdesign/GettyImages

ISBN : 978-2-7002-4320-8
ISSN : 2259-0218

Véra

Depuis un moment, je n'entends plus souffler Théo dans mon dos. Au lieu de m'inquiéter, ce silence m'agace. Je n'ai pas envie de ralentir encore. Déjà qu'on se traîne à une allure de paresseux...

Je m'arrête en plein milieu du sentier, me retourne et lance à mon frangin :

– Remue-toi un peu, espèce de boulet !

Une vingtaine de mètres en contrebas, Théo m'adresse un sourire navré qui ressemble à une grimace. Avec ses guiboles de sauterelle, on pourrait croire que cet échalas est taillé pour la randonnée. Mais non, au contraire. J'ai toujours l'impression qu'il vient d'apprendre à marcher quand je le vois poser un pied hésitant devant l'autre – comme un bébé de bientôt seize ans.

J'attends qu'il me rejoigne à l'ombre de la falaise que nous longeons depuis la fin de matinée. À son rythme, il va nous falloir deux jours pour atteindre les crêtes au lieu d'une après-midi.

Bon, c'est ma faute, aussi. J'ai insisté pour l'embarquer avec moi, histoire de nous aérer et de ne pas devenir dingues enfermés dans le chalet. Et de fiche la paix à Tom pour qu'il termine son bouquin. Papa déteste qu'on lui tourne autour quand il écrit, surtout à l'approche du point final. Il n'arrête pas de grogner, un vrai ours.

Alors j'ai décidé qu'on grimperait au sommet de Bald Hill, la bien nommée colline chauve, Théo et moi. On y plantera la tente cette nuit. Juste avant l'été, le parc national des Badlands vaut le coup d'œil. Le Dakota du Sud a su préserver son aspect sauvage. On se croirait revenu au temps des pionniers. Un Indien ou un trappeur surgirait de derrière un rocher que ça m'étonnerait à peine.

Théo arrive enfin à ma hauteur, en nage et haletant.

– J'ai besoin... de faire... une pause...

Il se laisse tomber à même le sol en poussant un soupir de soulagement.

– On n'atteindra jamais le sommet avant la nuit, je lui signale. On marche seulement depuis trois heures.

– Tu appelles ça « marcher » ? Bon sang, tu crapahutes comme un bouquetin !

Quand il se met à faire des phrases, je sais que Théo est encore capable de fournir un effort. Il faut dire que je le connais mieux que personne.

– Merci pour la comparaison. Allez, relève-toi, chiffe molle !

Je souris en lui tendant la main.

– Je proteste contre le mauvais traitement que tu prends un malin plaisir à m'infliger, ronchonne-t-il dans son style inimitable.

Néanmoins, il ne refuse pas mon aide.

– Pourquoi ai-je accepté de te suivre ? continue-t-il. Une petite balade en montagne, tu parles ! J'aurais dû me douter que tu m'entraînerais dans une marche forcée digne d'un commando de GI...

– Tu vas arrêter de râler, oui ? Ce n'est qu'un petit trek de rien du tout. Courage, on a fait le plus dur. Et je connais un raccourci pour atteindre le sommet.

Pour la première fois depuis ce matin, Théo affiche un air ravi.

– Enfin une bonne nouvelle !

– La voie est un peu technique, mais si tu suis mes indications, tu réussiras sans problème.

– Je suis prêt à tout si cela m'épargne des heures de torture.

– Donne-moi ton sac, je vais le porter.

– En plus du tien ?

– C'est rien du tout, je t'assure.

Le sac de Théo ne contient pas grand-chose de lourd : un kit de premiers secours, son duvet et une douzaine de ses barres de céréales préférées, pas plus. Je me suis déjà chargée du matériel d'escalade – corde, baudriers, mousquetons –, de la tente et du réchaud pour la popote de ce soir. Alors je ne suis plus à quelques kilos près !

– Assez causé, feignasse, on s'y remet. Je veux arriver avant la nuit. Un petit effort et on y est !

Théo

Un petit effort et on y est !

Ma sœur a toujours eu le sens de l'euphémisme – une figure de style consistant à adoucir une expression trop brutale.

J'aurais dû me méfier quand elle m'a annoncé une voie « un peu technique ».

Maintenant, il est trop tard pour protester. Si je m'étais douté qu'elle comptait s'attaquer à un pan de falaise presque vertical, j'aurais tenté de l'en dissuader. Mais elle s'est bien gardée de m'avertir, anticipant ma réaction.

Les premiers mètres ne me posent guère de difficultés. Je trouve les prises les plus évidentes, sans l'aide de Véra.

La situation se complique à mi-hauteur. Soudain, je ne repère plus aucun endroit où m'agripper. Je sens monter la panique. Et mon pied droit ripe…

Je perds l'équilibre.

Tombe dans le vide.

Heureusement, ma chute ne dure pas – à peine deux secondes – car Véra m'assure avec professionnalisme, comme toujours.

La corde se tend brusquement, les courroies du baudrier mordent ma chair à travers la toile de mon tee-shirt et je heurte la paroi.

Mais je réussis à me raccrocher à une saillie, le cœur battant une infernale chamade.

Je n'ai même pas eu le temps d'avoir peur !

– Relax, me lance Véra depuis le sommet de la falaise. Je te tiens bien.

Relax... Facile à dire ! J'ai la gorge nouée et les tripes plus encore. Je suis complètement paralysé. Incapable de me remettre à grimper.

– Décrispe-toi. Il te reste une dizaine de mètres. Tu peux y arriver.

En me cassant le cou, j'aperçois le buste de ma sœur penché au-dessus de moi. Elle n'a eu aucun mal à escalader la paroi, aussi agile qu'en salle d'entraînement. Les deux sacs à dos l'ont à peine ralentie. Parfois je me demande si elle n'arrive pas de la planète Krypton !

– Regarde sur ta gauche. Il y a une voie super facile. Un petit saut et hop, tu y es ! Allez, courage !

Je compte jusqu'à trois dans ma tête. Et je me lâche en donnant une légère impulsion du bon côté.

Un bref instant, je joue les balanciers de pendule humain. Puis j'atteins une saillie assez large pour m'y poser. Mes mains s'accrochent aux nombreuses prises disponibles.

Sauvé ! Je respire…

Je risque alors un œil par-dessus mon épaule.

À perte de vue, la couverture végétale de la plaine qui s'étend au pied de Bald Hill déploie un incroyable nuancier de couleurs chatoyantes. Le mois de juin dans les Badlands m'a toujours semblé magique. La mauvaise réputation de cette terre creusée d'une infinité de ravines provient de son aspect fortement érodé. C'est ce qui fait aussi son charme…

Soudain, je lâche un cri.

– Quoi ? s'inquiète Véra. Qu'est-ce qui se passe ?

Là, juste sous mes pieds, coincé dans une anfractuosité de la roche entre deux buissons, un visage grimaçant me contemple.

Grimaçant et ensanglanté.

Il me faut quelques instants pour reprendre mes esprits.

À présent, je peux envisager la suite des événements avec logique.

– Donne-moi du mou, vite !

– Sûrement pas, trouillard…

– Je ne plaisante pas. Je dois redescendre. Il y a quelqu'un dans les fourrés.

– Qui, un voyeur ?

– Arrête de te moquer ! Il est blessé. Rejoins-moi avec la trousse de secours. Active-toi, Véra !

Véra

Quand Théo m'appelle par mon prénom, je sais que c'est du sérieux. Aussi j'arrête de le chambrer et je passe à l'action.

D'abord, dévider progressivement la corde pour lui permettre de regagner le sol.

Ensuite, descendre en rappel les vingt mètres de falaise – un jeu d'enfant !

Moins d'une minute plus tard, je suis aux côtés de mon frère, sidérée comme lui par ce qu'il vient de découvrir.

– Je crois qu'il est mort, lâche-t-il d'une voix blanche en désignant le visage de l'homme dans le fond de la ravine.

Seule la tête dépasse des fourrés. Le reste du corps est enfoui dans la végétation, invisible depuis le sommet de la falaise. Je ne peux que donner raison à Théo. La croûte de sang figée sur les joues du mort provient d'une large entaille au front. Plus aucune étincelle ne brille dans les yeux toujours grands ouverts.

– Le pauvre a dû se briser le crâne...

Théo se tient à distance, impressionné. Je le suis également, même si je ne le montre pas. J'ai l'habitude d'empiler des cadavres dans les jeux vidéo sans que ça m'émeuve, mais en voir un en vrai produit un drôle d'effet.

Je jette un bref coup d'œil sur la paroi rocheuse dressée au-dessus de nos têtes.

– Tu m'étonnes, après une chute pareille.

– Il faut prévenir les gardes du Parc, qu'ils envoient un hélicoptère.

– Je te laisse t'en occuper, bro.

Théo est si pâle que je crains qu'il ne renvoie son petit-déjeuner à tout instant. Je préfère donc l'éloigner du cadavre. Pour faciliter les choses, j'emploie le surnom affectueux que je lui donne depuis toujours – diminutif de brother.

– Il y a un souci, dit-il d'un air penaud. Le téléphone est toujours en charge sur ma table de chevet.

– Ah, OK.

Il y a effectivement un souci. Parce que je ne possède pas de portable. Dingue, hein, pour une fille de seize ans ? Pas tant que ça, en fait, avec un père comme le nôtre. Tom ne roule pas sur l'or, c'est le moins qu'on puisse dire. Et comme il est obligé de nous élever seul, Théo et moi, on rogne sur tous les budgets pour s'en sortir, à commencer par celui des communications. Ainsi nos vacances dans les Badlands ne nous coûtent presque rien, juste le transport dans notre vieux break depuis le Texas. Le chalet appartenait à la famille du côté de notre mère, il est revenu à Tom après son décès... Tout ça explique que mon frère et moi nous nous partageons un même appareil : celui resté sur la table de chevet.

– Bon, je vais devoir improviser une fois de plus...

Je m'assieds au bord de la faille dans la roche et commence à me laisser glisser.

– Que fais-tu ? demande Théo.

– Ce gars-là n'a peut-être pas oublié son portable, lui. Je vais vérifier.

La descente ne pose pas de difficultés. La brèche n'est pas très large et est peu profonde. Mais pour atteindre les poches du mort, il va me falloir le dégager de son nid de broussailles.

J'écarte avec prudence les branches pleines d'épines qui encadrent son visage. Quand mes doigts effleurent une tempe ensanglantée, je réprime un frisson.

– Bizarre...

– Quoi ? s'inquiète Théo, quelques mètres plus haut.

– Les fringues de ce type. Pas du tout adaptées à la rando. On dirait plutôt un employé du fisc avec son costume gris !

Et je sais de quoi je parle : Tom a reçu la visite de l'IRS[1] cette année. On le soupçonnait de frauder. Ses comptes ont été épluchés dans le moindre détail par une armée de fonctionnaires aussi lugubres que notre macchabée.

– Minute. Il y a autre chose en dessous.

1. *Internal Revenue Service* : agence du gouvernement des États-Unis qui collecte l'impôt.

– Quoi ? répète Théo, avec cette fois une note d'angoisse.

– Attends un peu, bro.

J'écarte un bras replié dans une position qui manque de naturel et, ô surprise : le mort n'est pas seul dans son lit de végétation !

Un deuxième cadavre gît sous le premier, encore plus profondément enfoui. Celui d'un homme vêtu de noir de la semelle des chaussures à la pointe du bonnet – en passant par la figure, badigeonnée à la façon des GI au combat. L'angle formé par son cou ne laisse planer aucun doute sur la cause du décès.

Désormais, la curiosité l'emporte. Un cadavre mystérieux, à la rigueur, je veux bien...

Mais deux, c'est carrément du délire !

Théo

L'inertie soudaine de ma sœur m'incite à me rapprocher, malgré ma répulsion.

– Est-ce que ça va ?

En guise de réponse, Véra écarte les branches des buissons pour me dévoiler sa macabre découverte. Un nœud se forme dans mon estomac. Il faut absolument que je focalise mon attention sur quelque chose de réconfortant pour éviter d'être malade. Par exemple, la liste des six premières superterres détectées en dehors de notre système solaire : Kepler 62 e, Gliese 667 Cc, Gliese 581 d, Tau Ceti e, Gliese 667 Cf et Kepler 22 b. De quoi s'agit-il au juste ? De planètes potentiellement habitables par l'être humain – et non, comme le rapportent à tort certains médias, des planètes abritant une forme de vie.

Leur évocation a le don de m'apaiser. J'ai pris l'habitude de réciter leurs noms, à la manière d'un mantra, chaque fois que je me trouve en situation de stress. Comme dans le cas présent…

– Aide-moi à les sortir de là, bro.

Voilà ce que j'appelle une idée saugrenue – non, rectification, une idée dangereuse et stupide.

– Pas question que j'y touche. Et je te conseille de t'en abstenir toi aussi.

– Pourquoi ? T'as peur de te faire mordre ? Les zombies n'existent pas, je te rappelle.

– Très drôle. Mais peu respectueux, au vu des circonstances. Et non, je ne crains pas les morts-vivants. Seulement on ignore ce qui s'est produit. Mieux vaut laisser les équipes de secours spécialisées s'occuper de ces cadavres.

– Ils ont dégringolé la falaise, voilà tout. Victimes d'une chute mortelle. Et franchement prévisible... Quelle idée de se balader par ici aussi mal équipés ! Les gens sont inconscients des dangers de la montagne.

– Tu as raison. Toutefois ces deux individus ne m'ont pas l'air de simples touristes. Et puis nous sommes sur le territoire des *rangers*. C'est à eux d'intervenir en priorité.

Véra soupire.

– D'accord. Je veux juste vérifier si Costume gris a son portable sur lui.

Elle se met à tâter les poches du premier cadavre.

– Yes !

Avec un sourire de triomphe, elle exhibe l'appareil tiré d'une poche intérieure de la veste.

– L'écran me paraît intact, constate-t-elle. Mais je ne connais pas ce modèle. C'est quelle marque à ton avis ?

– Incroyable ! Comment peux-tu te préoccuper de ce genre de futilité dans un moment pareil ?

– Je suis curieuse, c'est tout. Calme-toi, bro. Bon, comment s'allume ce machin ?

Après quelques vaines tentatives, elle me tend le portable.

– Essaie, tu veux ? Tu es plus doué que moi pour ces choses-là.

Je m'abstiens de souligner l'évidence. Les lacunes de ma sœur en sciences et techniques rempliraient plusieurs volumes d'une encyclopédie.

– Hum. Il ne s'agit pas d'un modèle courant.

S'il a la taille et l'apparence d'un Smartphone ordinaire, force est de constater qu'il ne dispose d'aucune fonction aisément identifiable. J'ai beau l'observer sous toutes les facettes, impossible de repérer la moindre connexion ni le plus petit bouton on/off. Et rien ne se produit quand j'effleure l'écran.

– Il ne fonctionne pas. Pourtant, il ne porte aucune trace d'impact. Sa batterie est peut-être à plat.

– Dommage, je le trouve plutôt cool avec son design extra-plat.

Je lève les yeux au ciel. Voilà bien ma sœur ! Capable de s'émerveiller à propos d'un gadget sophistiqué à peine deux minutes après être tombée sur deux cadavres...

Parfois, je lui envie sa capacité de détachement. Parfois, elle me fait un peu peur. Mais pas de méprise : Véra et moi restons toujours soudés, quoi qu'il arrive. Nous n'avons aucun secret l'un pour l'autre, malgré nos différences de tempérament.

Parce qu'au-delà de nos caractères, nous sommes réunis par un lien unique, comme c'est souvent le cas chez les jumeaux, même faux.

– On appellera les *rangers* depuis le chalet, décide Véra. Rentrons.

Si la situation n'avait pas viré au drame, j'exprimerais avec joie mon soulagement à l'idée de dormir ce soir dans un vrai lit !

Véra

Tom déboule dans la cuisine en peignoir de bain, hirsute et mal rasé, un mug de café froid à la main – son look habituel quand il termine un bouquin dans l'urgence.

– Déjà de retour ? grogne-t-il. J'ai encore un chapitre à écrire ! Vous deviez revenir seulement demain soir.

– Désolée, dad, mais on a eu un problème.

Je vois son expression changer à mesure que je lui explique ce qui nous ramène plus tôt que prévu au chalet. Le grizzly ronchon devient brave ours brun, inquiet pour sa progéniture.

– Est-ce que Théo...

Je m'empresse de le couper avant que mon frère entre dans la pièce.

– Il va bien, je t'assure. Un peu secoué, c'est tout.

Je pourrais mal prendre le fait qu'il ne me demande pas comment je me sens, moi. Sauf que non. Je sais que Tom nous aime de la même façon. Il couve juste mon frère parce qu'il est plus fragile.

Grandir sans mère n'a pas été facile pour moi, mais l'épreuve l'a davantage marqué. Surtout durant notre première année d'écolc, quand il voyait les autres garçons sauter au cou de leur maman à la sortie. C'est à cette époque qu'il a développé certaines manies. Depuis, il lui arrive de réagir de façon bizarre. Heureusement, la bizarrerie est le lot quotidien des Luck !

– Je vais vous préparer du chocolat chaud, annonce Tom lorsque Théo fait son apparition, débarrassé de sa tenue de randonnée.

Tandis que dad s'active au-dessus de la gazinière, j'appelle le 911[1]. On me met vite en contact avec le poste des *rangers* responsables de la sécurité dans le parc des Badlands. Je résume du mieux possible les événements, indique les coordonnées de l'accident et laisse nos noms et adresse à l'officier de permanence – le *ranger* Nugent.

– Alors ? demande Tom dès que j'ai raccroché.

– Ils envoient une équipe récupérer les corps. Il faudra qu'on passe signer une déposition à Rapid City, demain matin.

– On s'y arrêtera en route.

– En route ?

– Après un coup pareil, je ne peux plus me concentrer suffisamment pour achever mon roman. Pas ici, en tout cas.

– On rentre à la maison ? interroge Théo sans chercher à masquer sa satisfaction.

1. Numéro des services d'urgence pour le continent nord-américain.

Les séjours dans le Dakota du Sud ne l'ont jamais emballé. Trop de nature, trop d'exercice au grand air, pas de Wi-Fi dans le chalet, presque un avant-goût de l'enfer pour mon frère !

– Je chargerai la voiture à l'aube, annonce Tom. Essayez de dormir jusque-là.

Dad remplit son mug d'une nouvelle dose de café et s'éclipse dans son repaire, le bureau minuscule du rez-de-chaussée où il a installé un lit de camp.

On reste un moment à siroter nos chocolats sans rien dire, Théo et moi. Pas besoin de parler pour savoir ce que chacun ressent. Si vous n'avez pas de jumeau, ça peut être difficile à comprendre. Moi je *sais*, sans l'ombre d'un doute, ce qui passe par la tête de mon frère. Rien à voir avec la télépathie ou ce genre de bêtise. Cela relève plutôt d'une extrême sensibilité aux réactions de l'autre – ses gestes, ses postures, ses mimiques...

– Tu penses à notre mère, toi aussi.

Théo acquiesce.

– Ça fera seize ans cette année, dit-il. Dans onze jours exactement.

Comme si je n'avais pas fait le calcul ! Dans onze jours, c'est notre anniversaire. Et celui de la mort de notre mère par la même occasion. Ce qui explique qu'on n'ait jamais chanté *Happy Birthday* à la maison. Pas de gâteau, ni de bougies, ni de cotillon. Pas plus de cadeau, d'ailleurs. Au lieu de ça, un rituel, comme je le rappelle :

– On ira se recueillir au crématorium.

C'est une promesse. Un pèlerinage pour les Luck, qu'on ne manquerait pour rien au monde. Ce jour-là, Tom retrouve figure humaine. Rasé de près, coiffé, impeccable dans son costume repassé pour l'occasion, il ne ressemble plus à sa caricature.

– Bien sûr, confirme Théo en vidant sa tasse.

Puis il se lève et quitte la cuisine.

– Bonne nuit, bro.

Je l'entends me répondre « À toi aussi », mais comme il a le dos tourné, j'ignore s'il a parlé à voix haute ou si je l'ai imaginé.

Ce qui ne change rien pour moi.

J'avale une dernière gorgée de chocolat, rince rapidement ma tasse et je monte à mon tour dans ma chambre.

Malgré les kilomètres parcourus aujourd'hui, je ne me sens pas assez fatiguée pour m'effondrer sur ma couette. J'ai encore besoin de me défouler sur le sac de sable pendu à la poutre près de mon lit. Chacun gère ses émotions à sa façon. Tom s'immerge dans le boulot, Théo cogite pendant des heures, moi je préfère suer et cogner.

Avant, je dépose le portable de Costume gris sur ma table de chevet. Il n'en a plus l'utilité, pas vrai ? Peut-être que Théo parviendra à le bidouiller pour qu'il fonctionne. Ç'aurait été dommage d'abandonner un si bel appareil aux *rangers* !

Théo

Le *ranger* Nugent relit notre déposition avant de nous demander d'y apposer nos paraphes. Véra s'exécute la première, puis c'est mon tour.

– Parfait, merci à tous les deux.

J'ai du mal à détacher mon regard de la collection d'armes pendues au râtelier dans le dos du *ranger* Nugent. Carabines, fusils de chasse, fusils automatiques et même une arbalète. Un arsenal impressionnant pour un gars chargé de protéger la faune et la flore du parc des Badlands. Mais peut-être doit-il affronter de nombreux braconniers sur son territoire.

– On sait qui sont ces types ? s'enquiert Tom.

Le *ranger* Nugent relève le nez de sa paperasse en fronçant les sourcils.

– Non, avoue-t-il. On ne les a pas encore identifiés. Ils n'avaient aucun papier sur eux.

– Vous ne trouvez pas ça curieux ? insiste Véra.

Le *ranger* Nugent hausse les épaules.

– Ils ont dû laisser leurs portefeuilles dans leur chambre d'hôtel, ou dans un gîte. Mes hommes vont visiter les établissements des environs. On ne tardera pas à connaître leur identité. Non, ce qui m'intrigue le plus, c'est leur étrange tenue, vraiment celle de touristes. Ainsi que l'absence de portable.

Je sursaute sur ma chaise et glisse un coup d'œil en biais à Véra. Ma sœur demeure imperturbable. J'ai compris ce qu'elle a fait. Et je sais qu'elle sait que je sais !

– Qui se balade sans téléphone de nos jours ? s'interroge le *ranger* Nugent.

– Moi, répond Véra, parfaitement calme et maîtresse d'elle-même. On n'est pas obligé de toujours rester en contact avec le monde extérieur.

– Ma fille n'est pas une ado comme les autres, intervient Tom avec un sourire désolé.

– C'est ce qu'il me semblait, monsieur Luck. Je suppose qu'avoir un père écrivain n'arrange rien.

Tom paraît déstabilisé, le temps de réaliser que le *ranger* Nugent plaisante.

– Non, c'est vrai, convient-il. Je ne suis sûrement pas un modèle à suivre. Bon, si nous en avons terminé, nous avons pas mal de route devant nous...

Il fait mine de se lever, mais le *ranger* Nugent le fige sur place en le menaçant de son index pointé à la manière d'un revolver, le pouce relevé en guise de chien.

– Impossible, monsieur Luck ! Je ne peux pas vous laisser sortir d'ici.

Je suspends mon souffle tandis que le *ranger* Nugent plonge son autre main dans un tiroir de son bureau. Cette fois, ça y est, nous sommes cuits ! Il va en ressortir une paire de menottes et arrêter Véra pour le vol du portable...

Au lieu de quoi il brandit une édition de poche de *Révolution sur la Lune*, le roman qui a rendu dad célèbre chez les lecteurs de science-fiction – je me demande encore pourquoi. J'ai essayé plusieurs fois de le lire, mais ce bouquin m'est toujours tombé des mains.

– Pas avant que vous ayez dédicacé mon exemplaire, monsieur Luck. Je suis un de vos plus grands fans. Je remercierais presque nos deux inconnus d'avoir dévalé cette falaise pour me permettre de vous rencontrer !

Tom se fend d'un gribouillis dont il a le secret en page de garde et nous déguerpissons enfin.

J'attends que nous ayons quitté Rapid City et rejoint l'autoroute en direction du sud pour interpeller Véra à mi-voix :

– Tu n'as pas pu t'en empêcher.

Elle comprend évidemment de quoi je parle.

– Tu aurais préféré en faire cadeau à un membre de la NRA[1] ? Beurk ! Je déteste ces gars-là.

La radio calée sur une station de classiques rock des années soixante-dix couvre notre échange. Quand il conduit comme quand il écrit, Tom aime s'isoler dans l'ambiance électrique de vieux tubes.

1. *National Rifle Association* : association américaine ayant pour but de promouvoir les armes à feu.

– J'aurais juste préféré que tu t'abstiennes de subtiliser ce portable, je rétorque.

– J'ai oublié de le rendre, voilà tout.

– Ça reste du vol.

– Tu es parfois d'une honnêteté écœurante, bro !

Ce qui clôt le débat du point de vue de Véra.

Je n'insiste pas. Inutile de se chamailler durant tout le trajet jusqu'au Texas – il nous faudra traverser du nord au sud les États suivants : Nebraska, Kansas et Oklahoma.

Mais quelque chose me dit que cet étrange portable finira par nous attirer des ennuis.

Lesquels ? Je l'ignore. Appelez ça une intuition si vous tenez absolument à lui donner un nom.

Moi, je n'y tiens pas.

Je ferme les yeux et je pense à la vastitude de l'univers. Son diamètre observable grâce aux instruments les plus élaborés n'excède pas cent milliards d'années-lumière. Au-delà de cet horizon cosmologique indépassable débute un grand mystère.

Fascinant, pas vrai ?

Véra

Même un zombie finirait par mourir d'ennui à contempler le défilé des champs et des plaines du Nebraska et du Kansas.

Tom s'en fiche. Il a ses vieux groupes à la radio pour lui tenir compagnie. Et Théo, comme à son habitude, passe l'essentiel du trajet plongé dans ses pensées.

Je lui envie cette capacité à se replier sur son propre univers. Mon frère, l'apprenti maître zen !

Moi, j'ai besoin de bruit et d'action en permanence. Faute de quoi je déborde d'un trop-plein d'énergie. Sans rien pour me défouler, il me prend alors des envies de frapper tout ce qui bouge.

À l'époque, certains garçons du collège ont fait les frais de ce mauvais caractère. Pas n'importe lesquels, remarquez, les petites brutes qui trouvaient marrant de se payer le « gogol » de service à la sortie. Et devinez qui jouait le rôle du souffre-douleur ?

Théo. Gagné. Le pauvre n'a jamais été capable de se battre correctement. Je lui ai appris pas mal de trucs, mais il n'a pas dépassé le stade de la théorie. Heureusement, j'étais là pour la pratique !

Dad a dû nous changer d'établissement plusieurs fois au cours des deux années qui viennent de s'écouler. Devant les conseillers d'éducation, il réprouvait ma façon de régler les conflits. En privé, il me félicitait de prendre la défense de mon frère, même si ça impliquait de passer à l'attaque.

N'empêche qu'il m'a collée dans les pattes d'un psy avant d'entrer au lycée. Pour m'aider à canaliser cette violence en remontant à ses origines : l'absence de notre mère et le sentiment d'injustice que j'ai nourri durant l'enfance en voyant les autres gamins heureux avec leurs deux parents. Je leur en voulais pour ce bonheur qui m'était refusé. Je n'y croyais pas au début pourtant je dois admettre que les séances avec le docteur Lloyd n'ont pas été complètement inutiles.

Par exemple, elles m'ont permis de supporter les dix-huit heures de voyage entre les Badlands et la banlieue de Beaumont, East Texas, sans devenir dingue !

Je ne sais pas pourquoi dad s'obstine à nous faire régulièrement traverser les États-Unis. Je ne crois pas qu'il le sache très bien lui-même. Il pourrait tout à fait achever ses bouquins à la maison. Mais je suppose que c'est plus fort que lui, comme un appel du passé auquel il est incapable de résister.

Ce chalet était dans la famille avant qu'il ne se mette à écrire ses bouquins. Un héritage du côté de notre mère, pour ce que j'en sais – Tom ne parle jamais de ces choses-là. Tout juste s'il nous a un jour avoué, à Théo et moi, qu'elle avait très tôt rompu le contact avec les siens, sans nous donner d'explication…

Bref, vous vous demandez sûrement comment je supporte d'être enfermée dans la voiture pendant une journée et demie ?

C'est simple : entre deux courtes siestes, je lis le manuscrit de Tom.

Et je ne me prive pas de l'annoter pour lui faire savoir ce que j'en pense.

Ça vous étonne, hein ?

Sachez que les romans de mon père sont les seuls livres qui me passent entre les mains. Je suis sa première lectrice et critique. Celle dont l'avis lui importe plus que tout autre.

Pourtant, la science-fiction ne m'intéresse absolument pas. Je trouve les histoires d'extraterrestres et de vaisseaux spatiaux super nazes, au cinéma ou partout ailleurs. Et honnêtement, celles de Tom sont à peine un cran au-dessus de la moyenne.

Mais je sais lire entre les lignes. Je parviens toujours à dégotter un sens caché dans tel ou tel chapitre. Une référence à l'histoire familiale, un clin d'œil adressé à de rares initiés. Il m'est souvent arrivé de reconnaître certains de nos voisins de Beaumont parmi les personnages. Et même Théo et moi transformés en créatures extraterrestres !

Je ne suis pas certaine que Tom le fasse toujours exprès. Pour s'en sortir, il a besoin de publier pas mal de livres chaque année. Ça m'amuse d'imaginer ses milliers de lecteurs, un peu partout aux États-Unis, s'extasier sur les aventures de héros dont les modèles sont un plombier à la retraite (M. Hutchinson, notre voisin de droite) ou une prof de yoga adepte du New Age (Mme Fawcett, notre voisine de gauche).

Et puis, j'avoue que je me laisse prendre par l'intrigue. C'est le cas avec ce roman inachevé que je lis.

Bon, le titre n'a rien de terrible – *Futur en danger* – mais difficile de ne pas tourner les pages à mesure que l'action progresse. Tom possède assez de métier pour capter l'attention dès les premières lignes. Au point que, après notre halte dans un motel du Kansas, je suis pressée de poursuivre ma lecture et frustrée d'arriver au bout sans connaître la fin alors que nous traversons encore l'Oklahoma.

– Qu'est-ce que tu en penses ? demande Tom.

– J'aime bien. C'est différent de tes autres bouquins. Plus sérieux, je trouve.

– Wow. Un compliment de la part de ma fille chérie, ma plus terrible critique !

Je vois bien à son air ravi qu'il apprécie ma remarque.

– La société futuriste que tu décris fait froid dans le dos. Ce gouvernement mondial ultra parano qui flique tous ses citoyens et censure leurs conversations... Et ce groupe de hackers qui diffusent des informations secrètes pillées dans les serveurs des agences de renseignement...

– On s'y croirait déjà, hein ? se réjouit Tom. Et pour cause, je n'ai presque rien inventé.

– Comment ça ?

– Je t'ai déjà expliqué que les sujets de tous mes romans sont inspirés par la réalité. Celui-là ne fait pas exception. Tu t'en rendrais compte si tu regardais plus souvent les infos.

Mes seuls rapports avec le petit écran passent par le jeu vidéo. Franchement, à quoi sert une télé sinon à brancher une console dessus ?

– Tu n'as jamais entendu parler des lanceurs d'alerte ? insiste Tom. Ces simples citoyens qui prennent le risque de prévenir les populations sur ce que les puissants préfèrent leur cacher... Erin Brockovich, Bradley Manning, Julian Assange, Edward Snowden, ces noms ne te disent rien ? L'affaire des révélations de WikiLeaks ?

– Si, vaguement. La première, il y a eu un film avec Julia Roberts.

Tom grogne en signe d'approbation puis enchaîne :

– Un nouveau lanceur d'alerte défraie la chronique depuis quelques mois. Sous le pseudo d'Enigma, il met en ligne des documents secret-défense parmi les plus gênants pour notre gouvernement. J'ai voulu lui rendre hommage dans mon livre.

– Tu t'intéresses à la politique, maintenant ?

Je n'ai jamais entendu Tom prendre parti pour un camp ou pour l'autre. Il déteste les racistes et les cinglés d'extrême droite sans pour autant militer chez leurs opposants. En fait, il ne sort que rarement le nez de ses bouquins. D'où ma surprise.

– Pas vraiment, avoue-t-il. J'ai juste trouvé qu'il y avait matière à une bonne histoire. Les lanceurs d'alerte sont plutôt courageux et du côté des faibles contre le pouvoir. Ce sont nos modernes Robins des Bois. Sauf qu'au lieu de voler l'argent aux riches pour le distribuer aux pauvres, ils raflent des informations ultra confidentielles pour les mettre à la disposition du public. Normal, aujourd'hui le véritable pouvoir, c'est l'info ! J'ai effectué pas mal de recherches à leur sujet. J'ai même chatté avec certains hackers qui m'ont apporté une aide précieuse.

Rien que ça !

– Je suis sûr que je tiens quelque chose cette fois, ajoute Tom avec un demi-sourire. Je sens de bonnes ondes autour de ce texte. Pas toi ?

Voilà bien une question à laquelle je me garderai de répondre. Tom n'est pas doué pour les prédictions. Chaque fois qu'il a cru avoir pondu un best-seller, ses chiffres de vente sont venus le détromper. Une expérience toujours douloureuse pour lui.

Prudente, je me contente de hocher la tête.

– En tout cas, j'ai hâte de lire la fin...

– Tu ne seras pas déçue, je te le garantis ! Je réserve une sacrée surprise à mes lecteurs, mais je ne t'en dirai pas plus. Tu verras, ma chérie, ce livre va faire l'effet d'une bombe !

Théo

Malgré les heures de conduite depuis le Dakota du Sud, sitôt rentré à la maison Tom court rejoindre son bureau pour s'atteler au dernier chapitre de son nouveau roman.

Véra et moi nous occupons de décharger la voiture tandis que le soleil s'enfonce avec lenteur derrière la ligne d'horizon.

M. Hutchinson nous salue depuis son porche, où il monte une garde quasiment ininterrompue sur le voisinage.

Comme beaucoup d'authentiques vieux Texans, il croit toujours vivre dans un western et se sent l'âme d'un shérif.

– Content de vous revoir, les Luck. Vous deviez revenir seulement demain, je crois. Pressés de retrouver votre cher Texas, pas vrai ?

– On ne peut rien vous cacher, lance Véra en soulevant deux valises dans chaque main.

Pour ma part, je me contente d'un sac de linge sale.

– Un employé de la compagnie du gaz est passé il y a trois jours pour relever le compteur, nous informe M. Hutchinson. Je lui ai dit que vous étiez en vacances. Il repassera plus tard.

– Vous lui avez indiqué où on se trouvait ? demande Véra.

Perplexe, M. Hutchinson réfléchit un moment à la question de ma sœur en mâchouillant une chique imaginaire.

– On a discuté un peu, reconnaît-il. Ce gars était d'humeur bavarde. Plutôt sympathique. On a parlé de tout et de rien...

Le vieux bonhomme prend soudain un air gêné. Je me doute qu'il a pris plaisir à converser avec l'employé, trop heureux de profiter d'une occasion de rompre sa solitude.

– J'ai dû lui indiquer que vous étiez dans les Badlands, admet-il. Comme toujours à cette saison, quelque part à la limite du parc. Je ne connais pas l'adresse de votre chalet. J'ai bien fait ? On dirait que quelque chose cloche...

– Non, rien, s'empresse de le rassurer Véra. Il est tard et on est tous sur les rotules. Bonne nuit, monsieur Hutchinson.

Elle se hâte de gagner le vestibule, m'invitant à la suivre d'un coup d'œil appuyé.

– Non mais, de quoi se mêle cette espèce de fouineur ? maugrée-t-elle une fois à l'intérieur.

– Monsieur Hutchinson ne pensait pas à mal. Il s'ennuie à la retraite et s'occupe en observant les allées et venues des gens du quartier. Tu ne peux pas lui reprocher de se montrer aimable avec un visiteur.

– Sauf que ce n'est pas la période des relevés de compteur. Je le sais, puisque je m'occupe du suivi des factures. Tu ne trouves pas ça bizarre, comme coïncidence ? Ce type se pointe il y a trois jours, cherche à savoir où on est en vacances... Et le lendemain, on tombe sur deux cadavres sur le sentier de randonnée !

– Peut-être s'agit-il de la nouvelle stratégie commerciale de la compagnie du gaz. Elle sacrifie son personnel pour impressionner ses usagers et les contraindre à modérer leur consommation. Je ne vois pas d'autre explication.

Ma sœur me foudroie brièvement du regard. Puis nous éclatons de rire en même temps.

– Je crois que je deviens parano, bro, admet-elle. La faute à *Futur en danger*, sûrement.

– Je ne sais pas de quoi tu parles.

– Du bouquin que Tom est censé finir. Il l'a farci de conspirations gouvernementales et d'autres trucs de ce genre, comme la théorie du complot...

D'un geste, elle évacue le problème.

– Une partie de GTA VI me remettra le cerveau à l'endroit !

– Hum. Permets-moi d'en douter.

Véra m'assène un coup de poing complice à l'épaule. Sa manière de me souhaiter une bonne nuit.

– Essaie de dormir, bro, OK ? Oublie toutes ces histoires.

Elle disparaît dans son antre, l'ancien garage attenant à la maison, transformé en salle de jeu et de musculation.

Je me fais couler un bain brûlant. Rien de tel pour se débarrasser de la fatigue du voyage. Mais je doute que cela suffise à évacuer les images de cadavres qui parasitent mes pensées.

Heureusement, je connais une excellente méthode de relaxation.

À demi assoupi dans l'eau et dans la mousse, un verre de lait et une assiette de cookies à portée de main, je me laisse dériver vers les confins de l'univers, sautant de trous noirs en naines blanches, de pulsars en géantes rouges.

Visiter l'espace en imagination me procure une incroyable sensation de détente. Là-haut, la vie me paraît plus facile. Nos misérables contingences terrestres n'y ont plus aucune importance. Je donnerais tout ce que je possède pour une balade dans les étoiles !

Saviez-vous que ces dernières sont en réalité d'immenses boules de gaz enflammé ? Qu'elles brûlent à des températures rarement atteintes sur Terre, sinon dans les réacteurs nucléaires ? Que le cœur du Soleil, notre bonne vieille étoile, dépasse les quinze millions de Kelvins ?

Sacrée chaleur, pas vrai ?

Oui, bougrement, bougrement chaud !

Voilà d'ailleurs que je me mets à transpirer. Curieux, parce que l'eau de mon bain a eu le temps de refroidir depuis que je m'y suis plongé…

Pourquoi ai-je alors l'impression de cuire au court-bouillon ?

Un cri résonne soudain, porté par la voix de Véra, et me donne la réponse :

– Au feu !

Véra

– Au feu !

J'ai toujours trouvé stupides les personnages de BD ou de film lorsqu'ils crient ce genre d'évidence face aux flammes. Mais c'est tout ce qui me vient à l'esprit quand je découvre celles qui rongent la moquette du couloir.

– Au feu !

Je me répète, je sais. La panique m'empêche de faire preuve d'originalité. Quelques instants plus tôt, alors que je traquais des dealers dans la banlieue de Los Santos, l'écran de ma télé est devenu noir d'un coup. Plus de jus non plus dans ma console. Et une drôle d'odeur s'est mise à me titiller les narines.

J'ai d'abord pensé que Tom avait eu une petite faim et s'était fait griller des toasts, que les plombs avaient sauté – le circuit électrique de la maison n'est plus tout jeune.

J'ai compris mon erreur en ouvrant la porte du couloir. Ma première pensée a été : pourquoi les détecteurs de fumée ne se sont-ils pas déclenchés ?

Puis j'ai commencé à hurler pour alerter Tom et Théo.

Le col de mon sweat-shirt relevé devant ma bouche et mon nez, je me lance à travers l'épais rideau de fumée en appelant :

– Dad ? Théo ? Dad !

Je ne reçois aucune réponse. Le grondement du brasier couvre le son de ma voix. Le mur à ma droite dégage une chaleur infernale. Les flammes dansent à l'autre bout du couloir, léchant les lambris du plafond.

– DAD !!!

Toujours aucune réponse. La porte du bureau reste close. Je tourne en vain la poignée.

Depuis quand Tom s'enferme-t-il à double tour pour écrire ?

– DAD !!!

Je tambourine.

Rien ne se passe.

Plus le choix. Je prends mon élan et je fonce, l'épaule en avant.

Aïe ! Ça fait mal. Mauvaise méthode…

Changement de tactique.

Coup de pied jeté de toutes mes forces à hauteur de la serrure !

Qui cède enfin.

Je me précipite.

Tom est étendu par terre, les bras en croix, devant sa table de travail.

Inconscient. Ou pire.

Mais je ne veux pas y penser !

La fumée remplit la pièce. Elle me pique les yeux, m'arrache des larmes et me fait tousser – j'ai l'impression qu'on me râpe le palais et la gorge au papier de verre.

J'attrape Tom par un bras et le tire tant bien que mal jusque dans le couloir.

Les flammes se rapprochent. Elles coupent déjà toute retraite vers la cuisine et le vestibule. Si je ne me dépêche pas, je serai bientôt prise au piège.

Qu'est-ce que fiche Théo ?

Au moment où je m'apprête à crier encore une fois son nom, le voilà qui dévale les escaliers à moitié nu, entortillé dans un drap de bain, l'air hagard – enfin, plus que d'habitude.

– Véra ! Il y a le feu...

– Je vois, crétin ! Dépêche-toi de rappliquer ! On va sortir par le garage.

D'un geste du menton, je lui indique la direction à suivre.

– Baisse-toi pour éviter la fumée. Cours !

Mais cet idiot reste paralysé à la vue de Tom, affalé à mes pieds.

– Dad ! Est-ce qu'il est...

– Juste évanoui. Ferme-la et barre-toi d'ici !

Je n'ai pas le temps d'ajouter quoi que ce soit. Dans un fracas épouvantable, une partie du plafond s'effondre à moins de deux mètres de nous. Des morceaux de lambris enflammé s'envolent dans tous les sens.

De la poussière de plâtre se mêle à la fumée. J'étouffe et je ne distingue plus rien.

À tâtons, je récupère Tom en l'agrippant par les pieds et je le traîne aussi vite que possible jusqu'au garage, m'efforçant de retenir mon souffle.

Théo m'attend planté devant la porte automatique, le visage blême.

– C'est bloqué, je n'arrive pas à ouvrir.

La panne de courant ! Je l'avais oubliée.

Abandonnant Tom, je me rue sur le panneau métallique et je tire de toutes mes forces dessus. Rien à faire, il refuse de se relever ne serait-ce que d'un centimètre.

Et il est trop tard pour rebrousser chemin. Le feu a gagné tout le couloir et commence à se propager dans l'entrée du garage.

Théo ne dit plus rien mais je sais à quoi il pense. Cependant je refuse de mourir sans me battre jusqu'au bout !

Je m'empare d'un de mes haltères et je frappe le battant, tel un gong, avec furie. Le métal se tord. J'ignore la douleur dans mon poignet, ma main, mes doigts, je me contente de cogner, cogner et cogner encore...

Soudain, une voix s'élève de l'extérieur par-dessus le ronflement du brasier.

– Attention là derrière !

Un grondement mécanique. L'instant suivant, une gerbe d'étincelles jaillit de la déchirure pratiquée dans le battant par la meuleuse de M. Hutchinson.

Je n'ai jamais été aussi heureuse de voir ce vieux fouineur !

En deux temps, trois mouvements, il découpe un passage dans la porte du garage. Je pousse Théo à travers puis j'y engouffre le corps de Tom. M. Hutchinson l'attrape sous les bras et le tire à l'abri dans l'allée.

– À ton tour, jeune fille, me lance-t-il ensuite. Sors vite de là !

Avant de m'exécuter, je rafle par réflexe quelques objets traînant à portée de main et j'en remplis la poche ventrale de mon sweat. Quand l'incendie aura tout ravagé, ils seront les seuls souvenirs de ma vie dans cette maison.

Tellement peu de choses en vérité...

Théo

Gliese 163 c, HD 40307 g, Kepler 61 b, Kepler 62 e, Gliese 667 Ce et Gliese 581 d sont les six dernières des douze superterres habitables repérées en dehors de notre système solaire.

Je m'en récite les noms en boucle tandis que les véhicules de secours envahissent notre rue, toutes sirènes hurlantes. Cela m'apaise et me permet de recouvrer mes esprits.

Les lumières bleues et rouges des gyrophares me donnent un peu le tournis. Je m'assois sur les marches du porche de M. Hutchinson. J'ai froid et j'ai peur – pas pour moi, pour mon père. J'ai bien vu que Tom était blessé à la tête, tout à l'heure dans le couloir. Véra a cherché à me rassurer en prétendant qu'il était juste évanoui. Mais elle n'a pas pu dissimuler sa propre angoisse. Non, pas à moi...

– Tiens, mon grand, enfile ça, tu arrêteras de grelotter.

Mme Fawcett me passe un manteau en laine autour des épaules. Je ne l'ai pas entendue approcher. Il y a tellement de brouhaha dans la rue en ce moment, et puis quelle importance ?

– Tout va bien, Théo, me souffle-t-elle en me prenant dans ses bras. Tu es sain et sauf, ta sœur aussi.

– Pas mon père.

– Il s'en tirera.

J'aimerais lui demander comment elle peut l'affirmer, mais je ne veux pas la gêner et l'obliger à me mentir davantage.

Une ambulance s'arrête devant notre pelouse, à moins de vingt mètres de la façade de notre maison, ou de ce qu'il en reste – à peine des ruines fumantes. Le feu a tout dévoré en moins de cinq minutes. Extrêmement rapide, même pour une petite construction en bois comme celles de nos voisins. Nous ne vivons pas dans un quartier huppé, vous l'avez déjà compris. N'empêche, voir disparaître ainsi son foyer, sans mauvais jeu de mot, laisse une drôle d'impression – sonné comme après un match de boxe contre un champion poids lourds, les traces de coups en moins, sauf au cœur...

Véra parlemente avec M. Hutchinson et les ambulanciers. Puis ceux-ci installent Tom sur un brancard et le hissent à l'arrière de leur véhicule.

Mme Fawcett tente de me retenir lorsque je me redresse d'un bond.

– Ce n'est peut-être pas une bonne idée, Théo.

– Si. Je dois rester avec Tom.

– Véra l'accompagne à l'hôpital. Viens chez moi en attendant qu'elle te donne des nouvelles.

– Vous ne comprenez pas, madame Fawcett. On ne peut pas être séparés.

Je m'arrache à son étreinte et je cours vers l'ambulance. Véra se retourne et me sourit.

– Je me demandais ce que tu fichais, bro.

– Je suis là.

– C'est bien.

Nous n'avons pas besoin d'en dire plus.

Tom a l'air simplement endormi sous sa couverture isotherme dorée. Le masque à oxygène dissimule mal l'hématome qui lui enfle le côté droit du visage.

– Les constantes physiologiques sont bonnes, tente de nous rassurer l'infirmier en indiquant les courbes qui défilent sur l'écran de l'électrocardiogramme mobile.

– Où l'emmenez-vous ? s'enquiert Véra.

– Au *Christus Hospital*.

– Je peux vous y conduire, propose M. Hutchinson. Je vais chercher mon pick-up.

Le vieil homme a déjà tourné les talons et trottine en direction de l'allée de sa maison.

– OK, dit l'infirmier. Retrouvez-nous là-bas, aux urgences.

Il referme les portes de l'ambulance et donne le signal du départ au chauffeur. Le hululement de la sirène me perce les tympans. J'observe les lueurs rouges des feux de position jusqu'à ce qu'elles disparaissent au coin de la rue.

Véra fouille la poche ventrale de son sweat-shirt et en retire une poignée d'objets.

– C'est tout ce que j'ai pu sauver. Tout ce qui nous reste.

Je remarque dans le lot le portable volé à l'imprudent randonneur en costume gris.

– Ce truc nous porte la poisse. Tu ferais mieux de le jeter.

Véra brandit l'appareil à hauteur d'yeux.

– Tu as raison. En plus, il ne fonctionne pas.

Puis elle ajoute, un sanglot dans la voix :

– Tu crois que Dad s'en tirera ? Qu'on va bientôt se retrouver tous les trois ?

Je m'apprête à lui donner la réponse la plus sincère possible – je n'en sais rien, je ne peux que l'espérer – quand l'écran du portable s'illumine et affiche : « 19 % ».

– Qu'est-ce que ça veut dire, bro ?

– Pas la moindre idée. Mais on se trompait. Cet appareil fonctionne bel et bien. Je doute qu'il s'agisse d'un téléphone portable.

– Quoi, alors ?

Je me contente de hausser les épaules.

– Laisse-moi y réfléchir. En attendant, ne t'en débarrasse pas.

– Pourquoi ?

– Parce que j'ai de plus en plus l'impression qu'on n'est pas tombés dessus par hasard.

Véra

À peine assis à ma droite sur la banquette du pick-up de M. Hutchinson, Théo a claqué la portière et s'est plongé dans son monde. Un bon moyen d'éviter de se poser trop de questions. Ce n'est pas mon cas.

Je ne suis pas une experte, mais depuis quand les maisons brûlent-elles aussi vite et facilement ? Sans parler du silence suspect des détecteurs de fumée, ni de cette vilaine marque sur la tempe de Tom ou de la porte de son bureau fermée de l'intérieur.

Dans une série policière, tout cela constituerait un joli « faisceau de présomptions » de tentative d'assassinat maquillée en accident !

Pas une preuve, hélas...

Des flashs éclairent soudain l'habitacle du pick-up.

– Hey ! s'écrie M. Hutchinson. Qu'est-ce qu'il veut, celui-là ?

Je me tords le cou pour jeter un coup d'œil à travers la vitre arrière. Une voiture nous colle au train. Une grosse, format 4x4. Noire, vitres teintées. Bardée de pare-chocs et de projecteurs.

Nouvelle salve d'appels de phares. Éblouie, des étoiles plein les yeux, je n'y vois plus rien durant quelques secondes.

– Bon sang, double si tu es si pressé, grommelle M. Hutchinson.

Quand je retrouve la vue, le tout-terrain s'est déporté sur la voie de gauche et roule à notre hauteur. Ni plus ni moins vite que nous. Exactement à la même vitesse.

– À quoi joue cet abruti ? s'énerve M. Hutchinson.

– Je ne crois pas que ce soit un jeu, dit Théo, plus sérieux qu'un pape.

Ce qui me fait frissonner de la tête aux pieds. Parce que je comprends à quelle conclusion mon frère est arrivé. Avec juste une fraction de seconde de retard.

L'énorme 4x4 effectue une brutale embardée. C'est comme si une montagne de métal noir fondait sur nous !

– Monsieur Hutch... ai-je à peine le temps de lancer.

Le choc ébranle le pick-up. Je m'accroche au tableau de bord, Théo à la poignée de portière. Le volant devient fou entre les mains de M. Hutchinson. Qui déverse une bordée de jurons tout en tentant de reprendre le contrôle. Mais Théo et moi savons qu'il n'y parviendra pas.

La roue avant droite percute violemment l'arête du trottoir. Les passants nous jettent des regards surpris ou affolés. Le pick-up repart sur la chaussée, de biais, dans un horrible concert de grincements et froissements de tôle.

Les lumières de la ville entament un lent tourbillon derrière la toile d'araignée du pare-brise. Je décolle de mon siège, le souffle coupé par la lanière de la ceinture qui me broie la poitrine.

J'ouvre la bouche pour hurler mais aucun son n'en sort.

Théo récite son mantra des superterres. Il m'a un jour expliqué que les noms de ces planètes avaient sur lui un pouvoir apaisant. Les événements s'enchaînent trop rapidement pour que cela soit possible, pourtant je peux jurer que je l'entends dans ma tête !

Et puis le toit du pick-up s'écrase sur le bitume dans un fracas de tous les diables. Le véhicule rebondit. Nous sommes secoués dans tous les sens.

Enfin, nous achevons notre tonneau au milieu du boulevard dans le crissement des pneus des autres voitures, heureusement guère nombreuses à cette heure de la nuit.

Avant même de vérifier si je suis blessée, ma première pensée est pour Théo.

– Je vais bien, je crois, souffle-t-il entre deux halètements.

– Moi aussi.

J'ai mal partout, ce qui est bon signe – je m'inquiéterais surtout si je ne sentais rien.

– Et monsieur Hutchinson ? s'inquiète Théo.

Je lui cache en effet pour partie le conducteur. Un geignement à ma gauche m'apprend que celui-ci est encore en vie. Mais une vilaine tache sombre s'épanouit sur le tissu de sa chemise au niveau de la poitrine.

– Pas brillant. Tu peux sortir ?
– Non, la portière est coincée.
Je suis moi-même prise en sandwich entre Théo et M. Hutchinson. Il ne me reste qu'une solution.
– Protège ton visage, bro.
Je replie mes jambes, collant les genoux sous mon nez, et je croise les avant-bras devant ma figure. Au moment où je m'apprête à fracasser le pare-brise d'une brusque détente, une ombre recouvre l'habitacle.
Le 4x4 noir vient de réapparaître. Il stoppe à moins d'un mètre. Un claquement de portière, puis un second. Deux pantalons impeccablement repassés entrent dans mon champ de vision. Je suspends ma respiration. Théo fait de même.
Voix numéro un :
– Regarde s'ils respirent encore. Et arrange ça.
Voix numéro deux :
– Pas de problème. Surveille les environs. Préviens-moi si quelqu'un rapplique.
Un des pantalons s'éloigne tandis que l'autre s'approche de la portière côté conducteur. Une main gantée s'infiltre par la fenêtre brisée.
Elle tient un énorme pistolet muni d'un silencieux.

Théo

Aucun mantra, pas même celui des superterres, n'a jamais arrêté les balles.

Nous allons mourir dans une espèce de boîte de conserve cabossée, froidement assassinés par un tueur anonyme.

Comme si cela ne suffisait pas, je suis nu sous mon manteau. Un détail, peut-être, mais qui m'importe. J'aurais préféré partir avec davantage de dignité.

J'aurais aussi aimé connaître les raisons de mon exécution.

J'aurais surtout voulu continuer à vivre !

Ma main se glisse à tâtons dans celle de ma sœur.

Son poing se crispe autour du mien.

Notre façon de nous dire adieu.

Je ferme les yeux. Je ne suis pas assez courageux pour affronter de face l'inévitable.

Je sursaute quand j'entends éclater le premier coup de feu, même assourdi par le réducteur de son. Il est aussitôt suivi d'un deuxième, tellement rapproché qu'on en croirait l'écho.

M. Hutchinson, Véra…

C'est mon tour à présent.

– Tu peux rouvrir les yeux, froussard. C'est fini. Véra ?

– Attention, gaffe à toi !

Deux coups de talon plus tard, le pare-brise n'est plus un obstacle. Nous nous faufilons à quatre pattes sur la chaussée. Du coin de l'œil, j'aperçois une silhouette allongée devant la portière passager. Celle d'un homme en costume noir, ganté de noir également. Il porte une oreillette Bluetooth accrochée à l'oreille. Mais il ne s'en servira plus.

Il a un trou rouge au milieu du front.

Je détourne le regard. Pour tomber sur le cadavre de son comparse, étendu devant le capot du 4x4.

Secoué, j'interroge Véra :

– Qu'est-ce qui s'est passé ?

– On dirait qu'un ange gardien veille sur nous, bro.

– Ces hommes ont essayé de nous tuer.

– Et ils ont échoué, c'est tout ce qui compte pour le moment.

Véra a raison. Il faut penser aux vivants.

– Monsieur Hutchinson a besoin d'aide…

– Les secours ne vont pas tarder, lance alors un motard surgi de l'arrière du tout-terrain, un pistolet dans chaque main. Votre ami ne risque plus rien. Vous, par contre, c'est une autre histoire. Si vous voulez vivre, donnez-moi le portable.

Sûrement notre ange gardien. Je ne l'aurais jamais imaginé vêtu de la sorte. Sanglé de cuir, casqué, chaussé de bottes renforcées, il ne débarque pas du paradis mais plutôt de l'univers de *Mad Max* !

– Quel portable ? demande Véra, sur la défensive.

– Ne fais pas l'idiote, rétorque le motard d'un ton curieusement doux. Je sais que vous l'avez. Eux aussi le savaient, ajoute-t-il en désignant les hommes abattus quelques instants plus tôt. Ils venaient le récupérer comme moi. À cette différence près qu'ils ne comptaient pas le réclamer poliment.

– Parce que nous brandir deux flingues sous le nez, vous trouvez ça poli ?

– Tu ne devrais peut-être pas le provoquer, Véra…

– Écoute ton frère, c'est la voix de la sagesse. Maintenant, assez parlé. Donnez-moi le portable et vous pourrez reprendre le cours normal de votre existence.

Notre ange gardien sait apparemment qui nous sommes – encore que deviner avoir affaire à un frère et sa sœur ne relève pas de l'exploit en ce qui nous concerne.

– Obéis, Véra, pour une fois ! Qu'on en finisse avec cette folie et qu'on retrouve Tom au plus vite.

Visiblement à contrecœur, ma jumelle fouille la poche de son sweat et en retire l'appareil. L'écran illuminé affiche toujours le même court et étrange message : « 19 % ».

– Vous avez réussi à l'activer ? s'étonne notre ange gardien.

– On ne peut rien vous cacher, se moque Véra.

– Quelle question avez-vous posée ? C'est très important, essayez de vous rappeler !

J'ai toujours eu une meilleure mémoire que ma sœur. Mon cerveau enregistre la plupart des détails dans n'importe quelle situation, même la plus critique. Aussi n'ai-je aucune difficulté à répondre à l'ange gardien botté et casqué :

– Véra a demandé si nous allions bientôt nous retrouver tous les trois, avec notre père.

Le motard lève une main armée pour signifier un temps mort. Je l'entends marmonner dans son casque. Sans doute réfère-t-il de la situation à une quelconque autorité ou à un complice. Au terme de l'échange, assez bref, il reprend avec fermeté :

– Répétez la question. Parlez clairement devant l'appareil.

Véra obtempère avec un froncement de sourcils. Un nouveau chiffre apparaît à l'écran : « 3 % ».

– Changement de programme, dit le motard. Vous venez avec moi. On fonce à l'hôpital.

– Et si vous nous expliquiez…

Mais il me coupe brusquement :

– Plus tard. Pas de temps à perdre. Votre père est en danger.

Véra

Normalement, j'aurais adoré traverser Beaumont en pleine nuit sur une puissante moto japonaise, au mépris des règles les plus élémentaires du code de la route.

Mais pas coincée sur un bout de selle derrière mon frère, avec un pilote armé et dangereux !

Et encore moins la peur chevillée au cœur.

Peur d'arriver trop tard pour sauver Tom.

Maintenant, j'en suis sûre, l'incendie de notre maison n'avait rien d'accidentel. Quelqu'un s'est introduit chez nous et a malmené dad pour lui faire avouer où il cachait ce mystérieux portable, source de tous nos ennuis. Tom ignorait de quoi il s'agissait. L'autre n'a pas dû le croire et il aura préféré mettre le feu pour se débarrasser d'un témoin gênant, en prenant soin de neutraliser les détecteurs de fumée.

Je parie que le responsable de l'incendie gît en ce moment sur le boulevard que nous venons de quitter en trombe, une balle entre les deux yeux.

Ses complices, eux, sont sans doute en route pour le *Christus Hospital*, déterminés à faire parler mon père coûte que coûte.

Ces gens ne reculeront devant rien pour obtenir ce qu'ils veulent. Nous en avons eu, Théo et moi, la pénible démonstration. Sans l'intervention du motard, nous serions les vedettes des prochains flashs info – j'imagine les titres : « Un frère et une sœur assassinés en pleine rue ! », « Victimes d'un règlement de comptes ? », etc.

Sans le savoir, nous avons mis le doigt dans un terrible engrenage, l'autre jour dans les Badlands. Le genre de machination qu'on ne voit d'habitude qu'au cinéma. Ou dans les bouquins, comme ceux de Tom. Mais pas dans la réalité !

Après dix minutes de course folle sur des avenues presque désertes, le motard daigne enfin ralentir en franchissant l'enceinte de l'hôpital.

Tout semble calme dans les parages. Enfin, pour un tel établissement, jamais vraiment en repos.

L'ambulance qui a emporté Tom est encore garée devant l'entrée des urgences. Il n'y a plus personne à l'intérieur.

– Ils ont dû emmener votre père au bloc, suppose notre pilote en coupant le moteur de sa machine. Allons vérifier.

Nous pénétrons dans le bâtiment d'un pas décidé. L'infirmière préposée à l'accueil relève le nez des papiers étalés sur son comptoir et affiche une mine perplexe. Entre le motard toujours casqué et Théo seulement vêtu d'un manteau en laine orné des motifs du zodiaque – l'un des trips de Mme Fawcett, avec le yoga et le New Age –, il y a de quoi flipper. Apparemment, elle en a vu d'autres.

– Qu'est-ce qui vous amène ?

– Tom Luck, répond mon frère. Blessé à la tête. Nous sommes ses enfants.

L'infirmière prend le temps de nous observer en détail avant de lâcher du bout des lèvres :

– On vient de nous amener un homme intoxiqué par la fumée dans un incendie...

– C'est lui ! je m'emporte. Où est-il ?

– Pas si vite, mademoiselle. Vous pouvez présenter une pièce d'identité ?

– Non mais je rêve ! C'est notre père, je vous dis !

– Encore faut-il le prouver. Vous avez une pièce d'identité ?

La colère me sort tout à coup de mes gonds :

– Tout a brûlé chez nous, vous comprenez ou pas, espèce d'imbécile bornée !

L'infirmière reste imperturbable.

– Calmez-vous ou j'appelle la sécurité.

– Ce ne sera pas nécessaire, intervient le motard.

Il exhibe furtivement un porte-cartes doté d'un badge en métal doré. L'effet est immédiat.

– Désolée, s'excuse l'infirmière, c'est la procédure... Le patient a été transporté en salle de réanimation. Vos collègues sont déjà sur place.

– Quels collègues ?

– Des agents du FBI, je crois...

Elle n'a pas le temps d'achever sa phrase que notre sauveur anonyme s'élance en dégainant ses pistolets. J'attrape Théo par la main et nous nous mettons à courir derrière lui dans les couloirs vert clair.

Des flèches de toutes les couleurs indiquent les directions des différents services.

Orange, pour la réanimation.

Mais la salle est vide quand nous y déboulons quelques instants plus tard.

Le motard laisse échapper tout un tas d'injures gratinées tandis que nous vérifions les chambres annexes.

Là non plus, aucune trace de Tom.

Une équipe de sécurité ne tarde pas à apparaître. À nouveau, le porte-cartes et le badge produisent leur effet. Les vigiles se raidissent presque au garde-à-vous.

Je n'y tiens plus et explose :

– Vous êtes qui, à la fin, nom de nom ?

Dans un soupir, le motard retire son casque. Une longue et flamboyante chevelure blond vénitien se déploie sur le cuir de son blouson.

– Major Crystal Lee, NSA[1]. Si on allait boire un café, les jumeaux ? Il faut qu'on parle sérieusement, vous et moi.

1. *National Security Agency*, organisme du département de la Défense des États-Unis, responsable du renseignement d'origine électromagnétique et de la sécurité des systèmes d'information et de traitement des données du gouvernement.

Théo

Notre ange gardien est une femme ! Sa voix étouffée par le casque ne permettait pas de le deviner, et ses manières plutôt viriles encore moins.

Toutefois les traits de son visage ne laissent pas place au doute. Aussi fins et délicats que volontaires, ils sont sans conteste ceux d'une représentante de l'autre sexe – et l'une des plus jolies qu'il m'ait été donné de rencontrer...

Nous nous réfugions dans un coin de la cafétéria fermée à une heure aussi avancée. Mais le badge du major Crystal Lee fait également office de sésame. Les gardes de l'hôpital n'hésitent pas une seconde à nous ouvrir et à se planter devant la porte pour garantir que nous ne serons pas dérangés.

– Crème ? Sucre ? Chocolat ? demande la jolie agent de la NSA en introduisant des pièces dans le distributeur de boissons.

– Comment pouvez-vous rester là à ne rien faire ? lance Véra sur un ton de reproche. Mon père vient d'être kidnappé ! Pourquoi ne donnez-vous pas l'alerte ? Les ravisseurs ne sont sûrement pas loin, le shérif n'a qu'à mettre en place des barrages et...

– Du calme, mademoiselle Luck. Asseyez-vous et écoutez-moi avec attention. Cette affaire relève de la sécurité intérieure. Il est primordial d'y impliquer le moins de monde possible. Et surtout pas la police locale.

Le major Lee dépose trois gobelets fumants sur la table. Je n'ai pas eu l'occasion de la prévenir que je préférais mon chocolat au lait et sans sucre. Tant pis, je me forcerai à boire le breuvage servi par la belle motarde.

– Tom a failli mourir ce soir, rappelle Véra. S'il lui arrive quoi que ce soit, je vous tiendrai pour seule responsable.

Ma sœur appuie sa menace d'un regard glacial. Que le major Lee soutient sans problème. Quelque chose me dit que ces deux-là ne sont pas près de devenir les meilleures amies du monde.

– J'en prends bonne note, mademoiselle Luck. Mais votre père ne risque rien pour le moment. Si ses ravisseurs avaient voulu le tuer, ils l'auraient tué ici, dans cet hôpital. Ils ont préféré l'enlever pour disposer d'une monnaie d'échange après avoir échoué à récupérer le portable.

Véra semble se radoucir. Je sens pourtant qu'elle bout encore de rage et de frustration.

– Qu'est-ce que vous suggérez ? D'attendre qu'ils nous contactent ?

Le major Lee a un bref hochement de tête. Ses yeux sont du bleu le plus limpide que j'aie jamais contemplé. Et l'éclat de sa chevelure évoque les blés sous le soleil couchant...

– Aïe !

– Que se passe-t-il, Théo ? s'inquiète-t-elle.

– Rien. Continuez, s'il vous plaît.

Inutile de lui préciser que Véra vient de me lancer un coup de pied dans le tibia sous la table. Sa manière de me rappeler à davantage de concentration. Ou de me reprocher de ne pas la soutenir. Mais ce n'est pas ma faute si je perds facilement mes moyens face à une femme aussi sexy que le major !

– Je suis désolée de n'avoir rien pu faire pour les empêcher d'incendier votre maison, reprend cette dernière. Notre surveillance s'est hélas relâchée après l'incident des Badlands.

– Un « incident » qui a tout de même causé deux victimes, fais-je remarquer sans oser relever les yeux de mon gobelet.

– Un de nos agents est mort dans l'exercice de ses fonctions, confirme le major Lee. Mais il a rempli sa mission. Il a protégé votre famille de ses ennemis. C'est mon tour à présent.

En toute logique, l'agent en question devait être l'homme en noir plutôt que Costume gris, puisque ce dernier avait en sa possession le portable que chacun s'efforce de récupérer. Quelle importance ? Ils sont morts tous les deux, et ce soir deux nouveaux cadavres se sont ajoutés à cette funèbre liste.

– Ce que vous dites n'a aucun sens, crache Véra. Quels ennemis, d'abord ?

– Je ne suis pas autorisée à vous le dévoiler.

– Ben voyons ! C'est pratique...

– Non, classifié top secret, corrige le major Lee. Croyez-moi, mademoiselle Luck, les enjeux de cette affaire dépassent tout ce que vous pourriez imaginer.

Avant que Véra pète vraiment les plombs, j'estime le moment venu d'intervenir.

Rassemblant mon courage, je fixe le major pour l'interroger :

– En quoi notre famille risquerait-elle de s'attirer des ennemis si puissants ? Notre père écrit des romans de science-fiction. Et notre mère est morte il y a seize ans en nous mettant au monde.

– Je sais. Je n'exagère pas la menace qui pèse sur vous. Vous vous en êtes rendu compte ce soir.

– Vous ne répondez pas à ma question...

Je me sens rougir tout en parlant. Le major Lee esquisse un ravissant sourire.

– Désolée, Théo, sincèrement. Cette information doit rester secrète pour le moment. Faites-moi confiance.

– D'accord.

Je m'attends à recevoir un autre coup de pied pour cette trahison, mais Véra se retient de me martyriser.

Au lieu de quoi elle dépose le portable au milieu de la table et demande :

– Que signifie ce 3 % ? Expliquez-nous au moins ça. On a le droit de savoir !

L'expression du major me confirme qu'elle connaît la réponse. Toutefois elle n'a visiblement aucune intention de nous la communiquer. Je saisis l'occasion de remonter dans l'estime de ma sœur en exposant mes propres déductions.

– Ces pourcentages affichés sont des prédictions, non ? Le chiffre indique le niveau de probabilité qu'un événement se produise, après qu'on a posé une question précise. Comme par exemple : « Tu crois que dad va s'en tirer ? Qu'on va bientôt se retrouver tous les trois ? » L'écran a affiché 19 % de chances juste après l'incendie de notre maison. Ce pourcentage est tombé à 3 % après la tentative d'assassinat à notre encontre. Puisque nos ennemis avaient échoué à récupérer le portable, grâce à votre intervention, ils allaient à nouveau s'en prendre à Tom et réussir à nous en séparer. Vous l'avez aussitôt compris. Parce que vous connaissez les capacités extraordinaires de cet appareil que nous nous obstinons à désigner comme un portable contre toute évidence – je doute en effet que nous puissions passer un appel avec !

Au terme de ma tirade, j'avale une longue gorgée de chocolat sans lait et sucré pour me donner une contenance et, surtout, éviter de croiser le regard si troublant du major Crystal Lee.

Dont le silence est éloquent.

Au bout d'un moment, elle consent à admettre :

– Tu es un garçon brillant, Théo. Mais je n'en suis pas étonnée. On m'avait prévenue.

Véra

En entendant le compliment, mon crétin de frère pique un fard. J'ai déjà eu l'occasion de remarquer que la première venue plutôt mignonne le mettait dans tous ses états, mais là, c'est le bouquet ! Il manque presque s'étrangler en avalant le fond de son gobelet.

Heureusement que je garde l'esprit clair pour nous deux...

– Qui ça ? Qui vous a prévenue ?

– Je ne peux pas révéler mes sources, rétorque le major Lee. Terminez votre chocolat, mademoiselle Luck. Nous n'allons pas nous éterniser. Je dois vous conduire jusqu'à un endroit sûr.

D'un geste vif, elle rafle le portable et le range dans une poche de son blouson de cuir.

– Je le garde avec moi, si vous n'y voyez pas d'inconvénient.

J'en vois des tonnes mais je préfère me taire. Cette pimbêche me renvoie un sourire radieux.

Autant lui faire croire que je suis prête à m'écraser, même si ça me coûte. Théo apprécie sûrement cette preuve de diplomatie.

– Parfait, Véra. En route.

Le major Lee récupère son casque et nous lui emboîtons le pas jusqu'à la sortie de l'hôpital. Au moment de franchir le sas, l'infirmière de l'accueil nous interpelle :

– Les jumeaux Luck ! J'ai un message pour vous.

Elle agite un feuillet de bloc-notes par-dessus son comptoir.

– Un homme a appelé pendant que vous étiez à la cafétéria. Il n'a pas donné son nom mais il a insisté pour que je vous remette ce mot avant votre départ.

– Eh bien, ils n'ont vraiment pas tardé, commente l'agent de la NSA.

– Vous croyez que ce sont les ravisseurs ? je lui demande.

– Qui d'autre ?

Je me précipite pour arracher le message des mains de l'infirmière.

« Parkdale Mall. 8 heures. Librairie Mercury. Venez seuls. Apportez l'objet pour échange. »

– C'est dans moins de deux heures, constate le major en consultant sa montre.

– Ça vous pose un problème ?

– Je n'aurai pas le temps de monter un dispositif de surveillance.

– Tant mieux. Parce qu'il est bien précisé : venez seuls. Je ne veux pas faire courir de risque à Tom.

– On en reparlera.

Je m'apprête à répliquer mais Théo m'en dissuade d'un geste.

Nous quittons le *Christus Hospital*. L'aube s'annonce à l'horizon. Le ciel de Beaumont vire au pourpre et les étoiles pâlissent. La fatigue me rattrape d'un coup et je bâille à m'en décrocher la mâchoire.

– Il y a un motel au coin de la rue, indique le major Lee. Je vais y prendre une chambre pour nous trois.

– Une seule ? s'étonne Théo, rougissant à l'idée de la partager avec la belle blonde.

– Ta sœur et toi pourrez vous reposer pendant que je passerai quelques appels. Vous avez aussi besoin de vous décrasser. Promis, je n'entrerai pas dans la salle de bains !

– Ah. Euh. D'accord, bafouille Théo avec une note de déception dans la voix.

Pourquoi faut-il que même le mec le plus intelligent se comporte comme un débile en présence d'un sosie de poupée Barbie ? Voilà un mystère que j'aimerais bien résoudre !

Nous gagnons le motel à pied, Théo et moi, suivis de près par le major sur son gros cube japonais.

Une fois dans la chambre, j'attrape mon frère par la manche de son manteau et je l'entraîne dans la salle de bains. Je verrouille derrière nous. Puis je tourne à fond les robinets d'eau froide et chaude de la douche. Le boucan de la cataracte devrait suffire à couvrir nos paroles.

– Tu fais confiance à cette allumeuse, bro ?

– Elle nous a sauvé la vie, rappelle Théo, embarrassé.

Je suis obligée de l'admettre.

– Ouais. Quand même, il y a quelque chose de pas net chez cette nana. D'abord, qui nous dit qu'elle est bien ce qu'elle prétend ?

– Elle possède un badge officiel.

– Je peux me procurer le même sur le Net. Elle affirme appartenir à la NSA. Je croyais que cette agence passait son temps à écouter le monde entier pour détecter les menaces terroristes contre notre pays. En quoi ça concerne notre famille ?

– Tu sais bien que depuis le 11 septembre 2001 les niveaux d'alerte sont restés bloqués au plus haut. Chacun peut être considéré comme suspect.

– Ma parole, tu flashes vraiment sur elle ?

Les joues de mon frère s'embrasent aussitôt.

– N'importe quoi...

– Si ça t'amuse de nier, je m'en fiche. On a un problème plus important à résoudre. On doit récupérer Tom sain et sauf. Pour ça, on a besoin du portable, ou peu importe le nom de ce bidule. On va être obligés de le faucher au major avant de lui fausser compagnie. Elle nous a à l'œil, alors il faudra se montrer plus malins. J'espère que tu es prêt à me suivre, bro !

Théo

Le plan échafaudé par ma sœur est aussi simple que périlleux, du moins pour ce qui me concerne.

Une fois sorti de la douche, je regagne la chambre enveloppé d'une serviette de bain.

– Véra se douche, j'explique au major Lee. Je préfère lui laisser un peu d'intimité.

Une seule de ces deux propositions exprime la vérité. À vous de deviner laquelle.

– Vous êtes vraiment très proches, toi et ta jumelle.

– Ta jumelle et toi, corrigé-je par réflexe.

– Ce n'est pas ce que j'ai dit ?

– Vous avez inversé l'ordre correct. La plupart des gens font cette faute à l'oral.

Les lèvres du major Crystal Lee s'étirent en un sourire qui accélère mon rythme cardiaque.

– Tu es toujours aussi pointilleux ? s'enquiert-elle.

– Je ne le fais pas exprès. Je suis comme ça. Désolé.

– Ne t'excuse pas d'être comme tu es. Il faut toujours assumer sa différence. C'est le mieux qu'on peut faire pour s'en sortir dans la vie.

– Puisse, pas « peut ». Il faut employer le subjonctif.

J'esquisse un sourire timide – le mieux que je puisse faire, justement.

Le major m'invite d'un geste à m'asseoir auprès d'elle, sur le rebord du lit.

– Approche, je ne vais pas te manger.

Les images qui me viennent à l'esprit ne sont pas à proprement parler d'ordre culinaire…

– Euh, je suis nu sous ma serviette. J'aimerais m'habiller. Vous serait-il possible de me procurer des vêtements, s'il vous plaît ?

Je sens le rouge me monter aux joues à l'évocation de ma nudité. C'est la première fois que je me retrouve seul dans une chambre avec une jeune femme aussi ravissante – et même avec une jeune femme tout court, à l'exception de Véra bien entendu.

– Ne sois pas embarrassé. J'ai contacté mes supérieurs. Une équipe est en route pour vous prendre en charge. J'ai demandé qu'elle t'apporte des baskets, un jean et un tee-shirt.

– Merci de ne pas oublier les sous-vêtements…

– Ne t'en fais pas, j'ai pensé au slip et aux chaussettes.

Le major m'adresse un clin d'œil. J'ai soudain envie de disparaître dans un trou de souris. Sauf que ma sœur m'a confié une mission précise, à laquelle je ne compte pas me dérober.

Pour me donner du courage, je songe à Tom, blessé, retenu contre son gré par d'inquiétants ennemis non identifiés. L'heure du rendez-vous dans le Parkdale Mall approche. Si on ne s'y présente pas, Véra et moi, qui sait ce qu'il adviendra de notre père ?

Je m'en voudrais pour le restant de mes jours s'il lui arrivait malheur, et ma sœur également. Il est de notre devoir de tout tenter pour le secourir !

– Vous pourriez me montrer le portable, s'il vous plaît ?

Le major Lee pèse le pour et le contre avant de sortir l'appareil de la poche de son blouson.

– Je connaissais l'existence de ces machines, mais je n'en avais jamais vu, avoue-t-elle. Nos agents essaient de s'en procurer une depuis un moment. Les gars du labo sont fous de joie à l'idée d'étudier celle-ci de près. Ils sont impatients de vous rencontrer, *ta jumelle et toi*.

– Nous ? Pourquoi ?

– Vous l'avez fait fonctionner. Ils veulent savoir comment.

– Je n'en ai pas la moindre idée. Je pourrais peut-être réessayer ?

Je tends la main, paume ouverte, mimant la décontraction. La réussite du plan de Véra dépend de la réaction du major. Me considère-t-elle suffisamment inoffensif ?

Il semble que oui, puisqu'elle me confie finalement le mince boîtier. J'ignore si je dois me réjouir ou pas de sa réaction !

– Fais-y attention, Théo. J'en suis responsable...

Le fracas de verre brisé en provenance de la salle de bains l'interrompt brusquement. Le major bondit aussitôt en dégainant un pistolet.

– Véra ? s'écrie-t-elle.

L'instant suivant, la porte cède d'un coup de semelle bien placé et s'ouvre à la volée. Je fais mine de m'étonner en découvrant la fenêtre cassée au-dessus des toilettes et la pièce vide.

Le major jette un rapide coup d'œil par l'ouverture avant de s'y faufiler avec une souplesse toute féline.

Je n'attends pas plus longtemps pour enfiler le manteau prêté par Mme Fawcett, glisser le portable dans une poche intérieure et quitter la chambre.

Le cœur battant à cent à l'heure, je contourne le motel au pas de course. Le soleil a déjà fait son apparition au-dessus de la ligne d'horizon. Beaumont s'éveille peu à peu.

Je regrette les chaussettes et la paire de baskets promises par le major quand je foule le bitume semé de gravillons de l'allée des livraisons, en direction de la rue.

Le hurlement mécanique d'un puissant moteur retentit alors dans mon dos.

Je me retourne juste à temps pour voir piler la moto à mes côtés. Aux commandes du bolide japonais du major, Véra affiche un air de triomphe.

J'ai menti tout à l'heure en prétendant qu'elle se lavait, mais pas en affirmant lui laisser l'intimité indispensable pour préparer son tour de passe-passe.

– J’étais sûre de réussir à la démarrer en moins de dix secondes ! Grimpe vite, bro ! Barbie Espion ne va pas tarder à rappliquer et elle doit être furieuse !

Je m’installe sur la selle et je m’agrippe de toutes mes forces à la taille de ma sœur.

Puis je ferme les yeux quand elle met les gaz et que la moto donne soudain l’impression de décoller.

57CM
100% PAPYRUS
MADE IN CHINA

Véra

Je ne suis pas peu fière de la façon dont nous avons réussi à berner miss pot de colle. Théo a parfaitement tenu son rôle. Je n'ai pas perdu une miette de sa performance, l'œil rivé au trou de la serrure de la porte de la salle de bains. Malgré sa gêne, il est parvenu à duper Barbie Espion. Bravo, bro !

Pour ma part, j'ai eu un léger doute au moment d'enfourcher la Japonaise et d'actionner le kick. Mais le major n'avait pas enclenché le verrouillage de sécurité en arrivant au motel, sans doute pour ne pas perdre de temps au cas où il lui aurait fallu démarrer en trombe. Une chance pour moi.

Double chance : j'ai tenu mon premier guidon de mini-moto à l'âge de huit ans, après avoir pleurniché des semaines pour que Tom m'offre un tour de circuit pour mon anniversaire plutôt qu'une balade en poney, comme mes copines.

Cependant, c'est la première fois que je pilote un engin aussi puissant. Et sans casque, avec mon frère à moitié nu agrippé à moi…

Autant dire que notre équipage ne passe pas inaperçu. Mais au diable la discrétion ! Le temps presse, le Parkdale Mall relèvera bientôt son rideau de fer et nous sommes attendus dans les rayons de la librairie Mercury.

Je monte les vitesses une fois engagée sur la triple voie qui nous éloigne du centre-ville. J'espère ne pas croiser une patrouille de police. De son côté, le major ne préviendra certainement pas le shérif. En revanche, elle alertera sans doute ses collègues en route pour nous récupérer, Théo et moi. Raison de plus pour ne pas traîner !

La silhouette massive du Parkdale Mall se profile dans ma ligne de mire. Cet énorme bloc de verre et de béton posé au milieu d'un parking géant attire les habitants de tout le comté de Jefferson et même ceux de la plus proche paroisse[1] de la Louisiane frontalière. On y trouve des dizaines de boutiques, de restaurants, de salles de cinéma ainsi qu'un petit parc d'attractions, dans une atmosphère climatisée. La plupart des élèves de notre lycée aiment y passer leur samedi, après-midi et soirée comprises. Moi, il faudrait me payer cher et Théo s'en fiche royalement – ce qui n'améliore pas la réputation des Luck en ville comme au bahut.

Plusieurs dizaines de voitures occupent les places situées près de l'entrée principale. Il n'est pas tout à fait huit heures, mais les accros du shopping sont déjà de sortie.

1. Une paroisse équivaut en Louisiane à un comté partout ailleurs aux États-Unis.

J'arrête la moto entre deux monospaces et je jette un coup d'œil alentour, sans rien remarquer de spécial. Bon, je ne m'attendais pas non plus à ce que les ravisseurs de Tom exhibent une pancarte annonçant leur présence…

– File-moi le portable, bro. Tu ne bouges pas d'ici.

– Hors de question, Véra. Je ne te quitte pas.

– Tu vas attirer l'attention avec cette dégaine. Tu es à poil sous ton manteau et tu ne portes pas de godasses. Les vigiles vont te tomber dessus direct. Pas le meilleur moyen d'aider Tom, tu ne crois pas ?

Pour une fois, je lui cloue le bec. Théo ne trouve rien à répliquer. Il me remet notre monnaie d'échange – le faux portable capable de prédire les probabilités qu'un événement se réalise.

– Sois prudente, me conseille-t-il.

– Ne flippe pas, OK ? Je rentre, je donne ce machin et je ressors avec Tom dans quelques minutes. Ensuite on se casse au plus vite. Rien de plus simple.

En théorie, évidemment. Maintenant, il s'agit de passer à la pratique.

La grande horloge pivotant au-dessus de la fontaine indique 7 : 57 quand je pénètre sur la place centrale du Mall, au cœur du bâtiment. Au-dessus de ma tête, trente mètres de niveaux commerçants couronnés d'une verrière en forme de dôme, reliés par des ascenseurs panoramiques et des escalators. La sono diffuse en sourdine un air de piano agaçant. Je suppose qu'il incite davantage les gens normaux à ouvrir leur porte-monnaie que du trash metal.

N'empêche, j'aurais préféré, histoire de me provoquer une bonne poussée d'adrénaline.

Je repère la librairie Mercury sur un plan animé en 3D. Niveau 2, aile nord, zone D. Ne me demandez pas ce que ça signifie. Je fonce sur le premier escalator sans quitter l'horloge des yeux.

7 : 58.

Dad, j'arrive !

L'aile nord aligne un interminable défilé de magasins de fringues tendance et moches...

Où se trouve cette foutue zone D ?

Je bouscule quelques clients qui se baladent avec un méga gobelet de café à la main pour les écarter de mon chemin.

Là-bas, droit devant, j'aperçois une enseigne en forme de livre ouvert, avec une planète sur la première page et un M stylisé sur la seconde.

Je pique un sprint.

Bref coup d'œil sur l'horloge par-dessus mon épaule.

7 : 59. Je franchis le seuil de la librairie Mercury.

Un vendeur au crâne dégarni s'avance à ma rencontre.

– Vous êtes ponctuelle, mademoiselle Luck. J'apprécie. Mais vous êtes venue seule... Où est donc votre frère ?

Théo

Je tente de repousser le stress depuis environ cinq minutes quand une New Beetle cabriolet surgit dans l'allée du parking et pile devant moi. Au volant, le major Lee me fait signe de monter, d'un air aussi furieux que chagriné.

Comme je demeure indécis, elle s'emporte :

– Bouge-toi, Théo ! Ne reste pas planté comme un idiot !

Je m'exécute. Dès que je suis installé sur le siège passager, la belle agent de la NSA écrase l'accélérateur. La petite voiture allemande s'engage sur la voie de sortie à près de cent à l'heure.

– Hé ! protesté-je en me dévissant le cou pour apercevoir le Parkdale Mall rapetisser derrière nous. On n'attend pas Véra et Tom ?

– Vous auriez dû m'écouter, ta sœur et toi, et ne jamais venir jusque-là. D'abord ça m'aurait évité d'emprunter une voiture aussi ridicule, il n'y en avait pas d'autre au motel. Surtout, vous vous êtes jetés droit dans la gueule du plus dangereux des loups.

Il y a de la colère dans la voix du major. De la tristesse également.

– On ne pouvait pas abandonner Tom, rétorqué-je. Vous n'avez pas voulu vous en occuper. Alors on a décidé de passer à l'action. De faire votre travail...

Le major grimace. Ses mains se crispent autour du volant.

– Je ne suis pas censée te le dire, mais ton père n'est pas la cible principale de vos ennemis. C'est toi et Véra qu'ils visent avant tout. Ils cherchent à vous éliminer coûte que coûte. Ils ont d'abord envoyé un tueur dans les Badlands. Après son échec, ils ont tenté de vous piéger dans l'incendie, la nuit dernière. Et sur la route de l'hôpital. Ils ne s'arrêteront pas, Théo. Leur détermination et leurs moyens sont sans limites.

J'enregistre les informations délivrées par le major sans toutefois en saisir la portée. Qu'est-ce qui pourrait nous valoir la haine d'ennemis aussi implacables ? Nous ne sommes que des ados à peine moins normaux que les autres ! Nous ne détenons aucun secret, ne possédons aucun pouvoir, ne représentons aucun danger pour quiconque et encore moins pour le monde...

– Pourquoi s'en prendre à nous ?

– Ce n'est pas à moi de te l'expliquer. Je me contente d'obéir aux ordres. Je dois te mettre à l'abri.

– Et Véra ?

– C'est trop tard pour elle. Ta sœur n'est pas censée sortir vivante du Mall. J'en suis désolée. J'ai échoué à la protéger, j'en assumerai les conséquences devant mes supérieurs.

Ces paroles me font l'effet d'un poids largué depuis des hauteurs affolantes juste sur ma tête – et mon cœur, aussi.

Ta sœur n'est pas censée sortir vivante du Mall...

J'en comprends le sens mais je le refuse. Cela ne peut pas être vrai !

Je hurle soudain :

– Arrêtez cette voiture ! Laissez-moi descendre...

Je tente d'attraper la manette du frein à main, en vain. Le major a de meilleurs réflexes que les miens.

Avant que j'aie compris ce qui m'arrive, je me retrouve le poignet menotté au sien.

– Comme ça, je suis sûre que tu ne me fausseras plus compagnie. Je suis en train de te sauver la vie, Théo...

– Je me fous de ma vie ! C'est celle de Véra qui compte. Faites demi-tour, je vous en supplie !

Nous roulons à vive allure sur la double voie express qui nous éloigne de Beaumont. La silhouette du Parkdale Mall n'est déjà plus qu'un souvenir dans le rectangle flou du rétroviseur. Ce n'est pas le verre du miroir qui est brouillé, mais mes larmes qui m'empêchent d'y voir clair.

– Je regrette, Théo, j'ai reçu des instructions extrêmement strictes. Perdre un des jumeaux Luck est déjà un coup dur. Les deux, ce serait un véritable désastre.

Aucun mantra ne pourra jamais effacer ce que je viens d'entendre. J'ai l'impression de mourir une deuxième fois à l'intérieur de moi-même.

La première, c'était en apprenant de la bouche de Tom pourquoi je n'avais pas une mère, moi aussi, comme les autres garçons de l'école. Je n'avais pas tout à fait six ans. J'en étais demeuré abasourdi et comme paralysé pendant trois mois, enfermé dans ma chambre.

Les efforts déployés par mon père et surtout par Véra m'ont permis de reprendre peu à peu le dessus. Sans eux à mes côtés, à quoi bon persévérer ?

– Un véritable désastre, répété-je, abasourdi.

Véra

– Mademoiselle Luck, où est votre frère ?

L'homme que j'ai pris à tort pour un libraire lève une paire de sourcils en broussaille au-dessus des verres de ses lunettes cerclées de fer. Avec son gilet boutonné jusqu'au col et son nœud papillon, son pantalon de velours et ses mocassins cirés, il me fait penser à un prof de fac ou un scientifique échappé de son labo. Difficile de lui donner un âge précis. Plus vieux que Tom, sûrement, mais de combien d'années ?

Peu importe, en vérité ! J'élude sa question et lui agite le faux portable sous le nez.

– Je viens chercher mon père. J'ai apporté votre bidule.

– Théo ne vous a pas accompagnée. C'est fâcheux.

– Lâchez-moi avec mon frère. Je veux voir Tom.

Mon interlocuteur reste imperturbable pendant quelques secondes. Puis il finit par hocher brièvement la tête.

– Suivez-moi.

Il tourne les talons et s'engouffre dans les allées de la librairie. Je lui colle au train tout en observant les clients. Malgré l'heure matinale, une douzaine d'hommes et de femmes déambulent entre les rayons. Bizarre...

Mon guide s'arrête finalement devant la section des bouquins de science-fiction. Désignant l'étagère du milieu consacrée aux auteurs dont le nom commence par les lettres J/K/L, il reprend :

– L'œuvre de votre père ne manque pas d'un certain intérêt, même si elle ne prétend pas révolutionner le genre.

– Je ne suis pas venue causer critique littéraire. Où est Tom ?

– Ah, l'impétuosité de la jeunesse ! se moque-t-il. Un peu de patience, mademoiselle Luck. Permettez-moi de me présenter. Je suis le Conseiller.

Il commence sérieusement à m'échauffer avec ses manières. Mais je me retiens de lui exploser à la figure. Ce guignol est en position de force pour l'instant.

– J'en déduis que vous ne bossez pas à la librairie.

– Amusant, mademoiselle. Mon rôle est en effet plus vaste. Je conseille les puissants de ce monde sur les meilleures stratégies à adopter afin qu'ils deviennent plus puissants encore.

– Ça a l'air d'un super boulot. Mais quel rapport avec mon père ?

– Nous nous intéressons à l'avenir, tous les deux. Lui l'anticipe dans ses livres. Moi dans la réalité.

Je ne peux m'empêcher de le chambrer :

– Vous prédisez le futur ? Vous lisez les cartes comme une diseuse de bonne aventure ?

Ma pique ne le touche pas, ou alors il sait parfaitement masquer ses émotions.

– Il existe de nos jours des moyens plus sophistiqués de pratiquer les arts divinatoires. Des moyens scientifiques très élaborés, qui réduisent la part du hasard à un degré d'insignifiance quasi absolu.

– Je ne pige rien à votre charabia !

Le Conseiller englobe les rayons de la librairie d'un large geste du bras.

– Pendant des siècles, les connaissances amassées par l'humanité se sont propagées grâce aux livres. Longtemps, une bibliothèque suffisait à rassembler la quasi totalité des savoirs. Aujourd'hui, l'équivalent de ce que vous avez sous les yeux tient sur quelques millimètres carrés de silicium. Par ce biais, chacun de nous dispose de trois cents fois plus d'ouvrages que n'en contenait jadis la bibliothèque d'Alexandrie. La mémoire de nos ordinateurs est plus riche que tous les fonds jamais constitués. Et chaque seconde, une quantité phénoménale de données s'ajoutent à cette fabuleuse mémoire par le biais d'Internet. Les réseaux sociaux tellement appréciés par les personnes de votre génération génèrent chaque jour plusieurs dizaines de téraoctets supplémentaires. L'ensemble dépasse actuellement la dizaine de zettaoctets – un chiffre énorme, mademoiselle Luck, et en constante expansion. On appelle ces incroyables masses de données les *big data*. Ce nom parle de lui-même.

Théo aurait apprécié – et compris – ce discours. Moi, il me fait bâiller.

– Génial. Où voulez-vous en venir ?

– À ceci : tout est information de nos jours. Qui contrôle sa diffusion contrôle aussi le monde. Et plus encore le futur. Correctement analysées, les *big data* permettent de tirer des modèles de comportements social, politique ou économique très fiables. Les gouvernements et les grandes entreprises dépensent des fortunes pour concevoir leurs propres outils de décryptage de l'information, afin d'anticiper au mieux les tendances de l'avenir. Quel candidat a le plus de chances de remporter la prochaine élection ? Quel produit suscitera l'intérêt des consommateurs ? Quelle opération boursière sera la plus lucrative ? Quelle épidémie risque de se propager et où ? Etc. On est désormais capable de le déterminer avec beaucoup de précision. Mais tout cela relève encore de la prédiction de masse, à l'échelle d'un pays ou d'une société. Mon employeur actuel est allé plus loin. Il a mis au point une méthode révolutionnaire de traitement des *big data*, qui autorise une lecture bien plus fine de l'avenir. Une lecture personnelle.

Je commence à comprendre le sens de ce blabla. Brandissant le faux portable, je résume :

– Ce machin permet d'interroger en direct le futur de son utilisateur, grâce à l'analyse de toutes les données le concernant.

Le Conseiller acquiesce.

– Nous l'avons baptisé Oracle. Il est à l'état de prototype. Nos hommes l'utilisent en mission pour les aider à prendre les bonnes décisions.

En pensant à Costume gris, je me dis que le système souffre encore de quelques bugs. Mais je m'abstiens d'en faire la remarque, histoire de ne pas trop énerver mon interlocuteur.

– À présent, reprend-il, si vous le permettez, mademoiselle Luck, je souhaiterais récupérer ce qui appartient à mon organisation.

Il avance la main, paume ouverte.

– Pas si vite. Et notre accord ? L'Oracle contre mon père !

– Vous deviez vous présenter en compagnie de votre frère. Sans lui, il n'y a pas d'accord qui tienne.

Le Conseiller claque alors des doigts. Je devine des mouvements furtifs partout autour de moi.

Les clients de la librairie – des complices, comme je le comprends soudain – se glissent de chaque côté du rayon science-fiction, me coupant toute possibilité de retraite.

– C'est déjà l'heure de la fermeture, plaisante le Conseiller.

Le rideau de fer commence à s'abaisser lentement devant les vitrines et l'entrée...

Théo

Je n'ai même plus le cœur à me réciter le mantra des superterres tandis que nous roulons à vive allure vers le nord du comté de Jefferson.

Ma mère, Tom et maintenant Véra...

Tous m'ont été brutalement retirés sans que je sache pourquoi, du moins en ce qui concerne mon père et ma sœur. La mort de ma mère m'a appris que la vie n'avait pas besoin de raison particulière pour se montrer cruelle et injuste. Ces derniers jours m'en ont apporté une preuve supplémentaire.

Nous quittons l'autoroute et nous arrêtons sur le parking d'un relais routier situé près de la frontière avec la Louisiane. Un van aux vitres teintées ne tarde pas à nous rejoindre. La portière latérale coulisse. Personne ne descend.

– On change de véhicule, m'informe le major Lee. Le vol de la Volkswagen a dû être signalé. On va poursuivre le voyage plus discrètement.

Je me laisse traîner à bord du van sans résister, toujours menotté à la jolie espionne. Je me fais l'effet d'un paquet de linge sale : aussi encombrant qu'inutile!

L'arrière de la camionnette est tapissé de matériel électronique de surveillance. Nous trouvons tout juste assez de place pour nous faufiler sur une étroite banquette.

Les deux hommes installés à l'avant nous saluent d'un bref hochement de tête.

– Je te présente mon équipe de soutien, dit le major. Flynn, notre chauffeur et logisticien. Et Jorge, notre bidouilleur de génie.

Flynn m'évoque un furet, avec ses traits fins et son long nez en pointe; Jorge, au contraire, déborde de généreuses rondeurs.

Je sors de ma torpeur, le temps de constater :

– Je les ai déjà vus quelque part...

Le major referme la portière et me débarrasse des menottes.

– Possible, admet-elle du bout des lèvres.

Puis elle donne le signal du départ. Flynn démarre aussitôt. Jorge reste tourné vers moi et m'adresse un sourire désolé.

Je fouille dans mes souvenirs à la recherche de ce visage aux joues rebondies. Il me faut fournir un effort plus conséquent qu'à l'ordinaire. L'émotion consécutive à la séparation avec Véra brouille mes facultés.

Pourtant, une image finit par s'imposer à la surface de ma mémoire. Celle de Jorge engoncé dans une chemise bleue, avec veste et cravate assorties, une mallette à la main. Où et quand l'ai-je donc croisé ?

– Le colonel veut parler au garçon, indique-t-il alors. Sur l'écran principal.

Le major effleure ce dernier du bout des doigts. Le visage buriné d'un homme âgé s'affiche en gros plan. Il porte une moustache poivre et sel et ses yeux d'un noir sépulcral s'enfoncent dans de profondes orbites. Ses cheveux, coupés en brosse réglementaire, sont abondants.

– Je suis le colonel Paul Kelsey, se présente-t-il. Je dirige une branche spéciale de l'armée au sein de la NSA, chargée de lutter contre un ennemi bien particulier. Mon unité n'a pas d'existence officielle et se compose, outre moi-même, du major Lee et de ses deux acolytes. Elle disposait d'un autre membre actif, mais il a trouvé la mort dans l'exercice de ses missions au début de la semaine.

– Dans les Badlands, deviné-je.

– Affirmatif. Le lieutenant Douglas était chargé de veiller discrètement sur ta famille. Il a été tué en vous protégeant.

– Mais de qui, à la fin ? Pourquoi cherche-t-on à nous éliminer ? Tout ça n'a aucun sens ! Les Luck ne sont une menace pour personne, c'est forcément une erreur... Je vous en prie, colonel, dites à votre équipe de faire demi-tour pour secourir ma sœur ! Il est peut-être encore temps...

Paul Kelsey demeure aussi imperturbable qu'un sphinx – on le dirait d'ailleurs taillé dans le roc – tandis qu'il réfléchit.

– Négatif, tranche-t-il. Ta sécurité prime désormais tout autre objectif. Théo, as-tu déjà entendu parler d'Enigma ?

Il me faut quelques instants pour rassembler mes esprits, ou ce qu'il en reste.

– Euh, vaguement, aux infos... Et oui, ça me revient, mon père s'en est inspiré pour écrire son dernier roman, mais il ne l'a pas encore achevé. Il s'agit d'un groupe de hackers ou de lanceurs d'alerte, quelque chose comme ça.

– Pas un groupe, corrige le colonel. Enigma est un solitaire. C'est d'ailleurs ce qui fait sa force et le rend insaisissable. Pour le moment, du moins. Parce qu'il est l'un des individus les plus recherchés au monde, par toutes les agences de renseignement. Certaines souhaitent le mettre définitivement hors d'état de nuire, d'autres l'engager. Quoi qu'il en soit, Enigma ne pourra pas continuer longtemps à narguer les grandes puissances en divulguant sur le Net leurs secrets les plus inavouables.

– Je ne vois toujours pas le rapport avec Tom...

– Les rares informations dont nous disposons sur Enigma sont classées secret-défense. Or ton père donne dans son manuscrit certains détails plus que troublants, qui démontrent à quel point il maîtrise le mode opératoire de ce lanceur d'alerte.

– Quoi ? Vous ne le soupçonnez tout de même pas d'être un pirate informatique ? Tom est nul en la matière, il sait tout juste se servir de son traitement de texte ! C'est moi qui gère la maintenance de son ordinateur. Lui fait à peine la différence entre une souris et une clé USB ! Et attendez une minute... Comment pouvez-vous connaître l'intrigue de *Futur en danger* puisque le livre n'est pas encore publié ? À moins d'avoir accès à la mémoire de l'ordinateur de Tom, bien sûr ! Vous nous espionnez !

Je me rappelle alors dans quelles circonstances j'ai fait la connaissance de Flynn et Jorge. C'était au tout début de cette année, quand ils se sont présentés à la maison pour effectuer un contrôle fiscal. Les soi-disant inspecteurs des impôts ont eu tout loisir de truffer le bureau de mon père et son ordinateur de mouchards.

– Nous gardons un œil sur ta famille, admet le colonel Kelsey. Depuis que nous avons découvert que le groupe BEST s'y intéresse de près lui aussi.

– Le groupe BEST ?

– Business, Entertainment, Science & Technology. La cible privilégiée de notre unité spéciale. Un trust tentaculaire, plus puissant que la plupart des États de la planète. Nous suivons de près ses activités sur notre territoire depuis qu'il a été impliqué dans des affaires criminelles en Europe. Nos collègues des services secrets français et anglais nous ont transmis d'inquiétants renseignements à son sujet. BEST est soupçonné d'avoir cloné des êtres humains[1] et entraîné de jeunes prodiges à l'espionnage onirique[2], toujours avec le même objectif : accroître son pouvoir et son influence sur le monde. Pour cela, le groupe ne recule devant rien. Voilà qui est l'ennemi des Luck, Théo.

1. Lire *Dans la peau d'une autre*, dans la même collection.
2. Lire *Dans tes rêves*, toujours dans cette collection.

Assommé par cette révélation, je suis incapable de reprendre la parole. Dans le collimateur d'un pareil adversaire, comment espérer s'en sortir ?

Le major Lee vole alors à mon secours :

– Si je peux me permettre, colonel...

– Oui ?

– Le jeune Luck vient de subir une énorme pression. Il serait avisé de ne pas en rajouter pour le moment.

Paul Kelsey opine imperceptiblement.

– Affirmatif, major. Mettez-le à l'abri aussi vite que possible. Nous reprendrons cette conversation plus tard.

Fin de la communication.

Le noir le plus total envahit l'écran en même temps que mon esprit et mon âme.

Véra

Le premier bouquin paru de mon père, aka Tom Luck, est un sacré pavé. *Révolution sur la Lune* compte près d'un millier de pages et pèse un bon kilo, couverture cartonnée comprise. De la littérature de poids, donc. Comme s'en rend compte le Conseiller à l'instant où je lui balance l'ouvrage en pleine face.

Les lunettes cerclées s'envolent et le bonhomme bascule dans les rayonnages de fantasy. Toute la saga Harry Potter lui tombe sur le coin du crâne – j'espère qu'il ne s'en remettra pas de sitôt !

Mais je ne traîne pas sur place pour le vérifier. Tête baissée, je fonce en direction de l'entrée avant que le rideau métallique soit complètement abaissé. Bien entendu, les faux clients de la librairie tentent de m'en empêcher.

J'ai été la seule fille autorisée à jouer avec les garçons au foot dans l'équipe du lycée – les *Wolverines*.

Avant de me faire virer pour excès de brutalité. Une fois le ballon en main, personne n'était capable de m'arrêter avant que je marque un *touchdown*. Ça rendait les gars fous de rage, ces lourdauds !

Autant dire que les sbires du Conseiller ont intérêt à avoir de bons réflexes s'ils espèrent me choper avant que j'atteigne la sortie...

Feinte à gauche, débordement à droite.

Coup d'épaule par-ci, coup de coude par-là.

La zone d'en-but est proche !

Je plonge en avant. Longue glissade sur le sol marbré. Mon dos frotte le bas du rideau au passage.

Et je suis dehors, au milieu de l'allée du Parkdale Mall.

Je me redresse sous les yeux des badauds effarés. J'ai toujours l'Oracle dans mon poing serré. Je ne résiste pas à l'envie d'adresser un bras d'honneur au Conseiller, qui m'observe derrière le treillis métallique en pressant un mouchoir contre son nez ensanglanté.

– Attrapez-la ! se met-il à crier. C'est une voleuse !

Je ferais mieux de ne pas m'attarder. D'autant que le rideau commence à se relever.

– Au voleur ! s'égosille le Conseiller. Alertez la sécurité !

Je m'élance à toute vitesse. Un jeune mec tente de me ceinturer. Je change de direction à la dernière seconde et lui file entre les bras. Désolée, mon vieux, pas assez rapide !

J'atteins l'escalator. Il est presque bondé. Je saute sur la rampe et me laisse glisser sur les fesses, en équilibre précaire.

Des cris et des injures saluent ma performance.

Au moment de poser le pied sur le sol, j'aperçois une silhouette en uniforme qui se précipite à ma rencontre. Le vigile me met en joue avec son arme. Heureusement, il ne s'agit que d'une bombe lacrymo. Mais je ne parviens pas à éviter la totalité du jet de gaz.

Toussant, crachant, je frappe au hasard. Uppercut, crochet, direct du droit, et bing !, je touche une partie molle. Un gémissement et le gardien s'effondre.

Je suis déjà repartie, des larmes plein les yeux. J'évolue dans un univers flou, un incendie allumé dans la poitrine.

Néanmoins je débouche sur le parking quelques instants plus tard.

Je prends une grande inspiration.

Tousse. Crache.

M'essuie les yeux d'un revers de paume.

Un bruit de cavalcade dans mon dos.

Les faux clients de la librairie sont lancés à ma poursuite. Ma parole, ils m'en veulent vraiment !

Je remonte la voie centrale à la recherche des monospaces entre lesquels j'ai rangé la Japonaise du major Lee. Pourquoi faut-il que ces foutues bagnoles se ressemblent toutes ?

Ah, ça y est, les voilà !

La moto est toujours sagement parquée au même endroit, mais aucune trace de Théo.

Où es-tu, bro ? Dans quel pétrin t'es-tu encore fourré ?

Impossible de t'attendre.

Je pèse sur le kick de tout mon poids. Le moteur rugit de satisfaction. Je tourne la poignée et je m'élance, grillant la priorité à une hybride. Un concert de klaxons accompagne ma fuite.

Je suis perdue, désorientée. Pas au sens propre, je sais où conduit la route empruntée, mais je ne parviens plus à réfléchir.

Le baratin du Conseiller à propos des bouquins de Tom, des *big data* et du futur, tout se mélange dans ma tête. Si Théo était avec moi, je lui raconterais et il trouverait sûrement une explication logique à ce délire...

Ce n'est pas le cas. Je dois me débrouiller seule à présent.

Ou peut-être pas. Je n'aurais jamais songé en arriver là, mais je n'ai plus le choix.

Il va me falloir me résoudre à demander de l'aide à Sam.

Théo

Fort Worth et Dallas ne forment plus qu'une immense agglomération traversée par de monstrueuses autoroutes. On l'appelle le Metroplex, la quatrième aire urbaine des États-Unis en matière de population.

Chaque petit Texan l'apprend dès l'école primaire. Mais la majorité oublie vite le reste de la leçon. Pas moi.

Le Metroplex rassemble plus de 6 370 000 habitants. Il s'étend sur une douzaine de comtés. On surnomme Dallas la « Silicon Prairie », en référence à la célèbre Silicon Valley de Californie, car elle est devenue depuis le début du XXIe siècle le siège d'une florissante industrie de haute technologie. Ce « Telecom Corridor » du nord de la ville abrite de grandes entreprises comme AT&T, Alcatel, Ericsson, Fujitsu, etc.

Je pourrais continuer des heures à énoncer tout ce que j'ai retenu au fil du temps à propos de la capitale du Texas. Mais je me fais trop de souci pour Véra et Tom, et bientôt les souvenirs s'embrouillent dans mon esprit.

– Comment te sens-tu, Théo ? s'inquiète le major Lee. Tu es tout pâle soudain. Tiens, bois, ça te fera du bien.

Elle pose un gobelet fumant sur le comptoir de la cuisine. Avant qu'elle plonge la main dans le sucrier, je l'arrête :

– J'aime le café sans sucre. Et avec beaucoup de lait.

– Désolée, il n'y en a pas. Le frigo de cette planque est vide.

Comme le reste de l'appartement, ou presque. Deux chambres avec lit et placard, un salon avec un canapé, un coin cuisine ultra dépouillé. Les rares objets de valeur ont été déchargés du van : ordinateur portable, tablette, radio et scanner de police, et tout un attirail électronique rapidement installé par Jorge pour « se prémunir d'une éventuelle surprise », dixit l'expert.

Derrière les stores baissés de la baie vitrée, on perçoit le ronronnement incessant de la circulation sur l'Interstate 30, l'autoroute qui relie le Metroplex à Little Rock, en Arkansas.

Pour ce que j'ai pu en apercevoir, le quartier réunit surtout de petits immeubles impersonnels et des enseignes de grandes chaînes de restauration rapide. Le genre d'endroit anonyme où l'on ne s'attarde pas. Idéal pour se cacher.

– Vous possédez de nombreuses planques comme celle-là ?

– Au moins une dans chaque ville importante. Mais on doit les partager avec les équipes des autres services de la NSA. Malgré les efforts du colonel Kelsey, le gouvernement fédéral nous attribue des moyens limités. Ils sont dérisoires en comparaison de la puissance de notre cible.

– Pourquoi n'êtes-vous pas pris au sérieux, si BEST est aussi dangereux que vous le supposez ?

– La lutte contre les réseaux terroristes demeure la priorité du gouvernement. Et jusqu'à présent, BEST n'a pas frappé sur notre territoire.

– Ils ont envoyé des tueurs après les membres de ma famille ! protesté-je.

– Nous les avons stoppés à temps. Et nous ne pouvons pas prouver les liens entre le groupe et les assassins. Sa vitrine officielle est irréprochable. Il possède des parts dans de nombreuses sociétés ayant pignon sur rue. Les librairies Mercury, par exemple. Ce n'est pas un hasard si le rendez-vous a eu lieu là. Depuis peu, BEST a multiplié les investissements et les prises de participation dans de nombreux secteurs de notre économie. Nous essayons encore de déterminer quelles sont ses véritables intentions.

– Bref, vous n'êtes guère avancés.

– Nous savons que quelque chose d'énorme se prépare. Une opération d'une envergure telle que la face du monde en sera changée si elle se réalise.

– Comment l'avez-vous appris ?

– Nous avons nos sources. Ou plutôt une source, mais sa fiabilité pose de sérieux problèmes à nos autorités de tutelle.

– Enigma, deviné-je.

– Exact. Le Pentagone et la Maison-Blanche rêvent de l'arrêter et de l'enfermer dans une prison secrète jusqu'à la fin de ses jours. Or les informations d'Enigma nous sont indispensables dans notre travail. Aucun autre hacker n'a jamais pu accéder aux serveurs de BEST. Ils sont mieux protégés que ceux de Microsoft ou de Google.

– Je vois. Et c'est ce mystérieux Enigma qui vous a avertis des menaces pesant sur les Luck ?

Le major Lee opine.

– Il nous envoie des messages cryptés à intervalles plus ou moins réguliers. Jorge reste à l'affût en permanence.

Coup d'œil en direction de l'informaticien, scotché à son écran, qui confirme d'un hochement de double menton.

– Enigma est un super crack, ajoute-t-il avec une note de respect dans la voix. Impossible à tracer. Ses messages font plusieurs fois le tour du monde avant de nous parvenir. Ils transitent par des milliers d'ordinateurs de façon aléatoire, passent en quelques secondes par des dizaines de satellites. Les meilleurs experts de la NSA n'ont pas pu en localiser l'origine. Bon sang, les gars de Fort Meade[1] en bavent de jalousie !

1. Siège de la NSA dans le Maryland.

D'un rictus, le major Lee tempère l'enthousiasme de son collègue. On frappe alors à la porte – trois coups brefs, puis deux longs. Le signal convenu. La jolie espionne repose le pistolet dont elle s'était emparée par réflexe.

Elle va ouvrir à Flynn, qui revient les bras chargés.

– Voilà le dîner, annonce-t-il en déposant des boîtes de pizza sur la table. Et une nouvelle tenue pour toi.

Short, tee-shirt, casquette et baskets, ne manque plus que le skate pour compléter la parfaite panoplie de l'ado typique des États de la *Sun Belt*[1].

Sans quitter son poste d'observation, Jorge lance un vibrant cri du cœur :

– J'espère que tu n'as pas encore oublié mon supplément fromage !

1. Littéralement, ceinture du Soleil, soit les États les plus au sud.

Véra

J'abandonne la Japonaise aux abords du quartier le plus craignos de Beaumont. La moto devrait disparaître avant la fin de la journée. J'espère que le major Lee est bien assurée !

Puis je continue mon chemin à pied, aussi rapidement que possible. Sam n'habite qu'à quelques blocs en direction du centre, dans une grosse baraque tape-à-l'œil. Il y réunit souvent les gars de l'équipe de foot pour des barbecues. J'ai participé à certaines de ses fiestas mais je ne m'y suis guère sentie à ma place. En dehors du terrain, je n'avais pas grand-chose à partager avec les autres *Wolverines*.

Ce qui n'a jamais gêné Sam, à en juger par ses multiples tentatives de drague. J'aurais dû me sentir flattée. Chaque classe de lycée possède son exemplaire de mec-super-craquant, blond aux yeux bleus, dont toutes les filles tombent amoureuses. Enfin, les filles normales ou supposées telles.

Pas moi. Mais ça vous étonne ?

J'ai toujours trouvé Sam encore plus fade que cette grande asperge de Robert Pattinson. La moindre de ses œillades fait se pâmer les autres nanas dans un périmètre de vingt yards. À peine si elle m'arrache un bâillement ou, s'il insiste, l'envie de le baffer.

Je suppose que mon indifférence explique son acharnement à me séduire. Il doit m'envisager comme un défi personnel, un challenge à relever afin de ne plus douter de son charme. Ou il veut simplement pouvoir se vanter devant ses copains de m'avoir eue. Vous connaissez les garçons...

Arrivée à destination, je saute par-dessus la palissade et contourne la maison par le jardin. La voiture du père de Sam est garée devant l'entrée. Je privilégie donc une approche discrète.

J'escalade la façade pour atteindre la fenêtre de la chambre, au premier. Par cette chaleur – l'été est en avance, cette année –, Sam la laisse relevée. Je me glisse par l'ouverture et atterris au pied de son lit. Heureusement, je ne le dérange pas dans un moment d'intimité !

Il sursaute et abandonne la lecture de son *comics*.

– Véra Luck ? Qu'est-ce que tu fiches ici ?

Avant qu'il s'imagine quoi que ce soit ou alerte ses parents en braillant, je lui fais signe de baisser le volume.

– Moins fort... J'ai besoin d'aide, Sam.

Son sourire béat prouve qu'il est prêt à tout pour me satisfaire. Y compris à mentir à ses parents (facile) et même à sa petite amie actuelle (plus délicat, mais envisageable). Reste le cas des autres *Wolverines*. Les gars se comportent entre eux comme des pipelettes dans le secret des vestiaires.

– Tu ne dois rien dire à personne, Sam. À *vraiment* personne, j'insiste.

– Eh, tu peux compter sur moi, je suis un gentleman.

– Non, tu es un mec. Tu ne pourras pas t'empêcher de te vanter. Mais si tu l'ouvres, parole, je te casse la tête !

– Tu sais parler aux hommes, Véra Luck.

Sam plaisante, même s'il a compris que ce n'est pas mon cas.

– Si tu as des ennuis, reprend-il avec sérieux, je veux bien t'abriter.

– Tu as regardé les infos aujourd'hui ?

– Non. Pourquoi, j'aurais dû ?

Autant que je le lui apprenne moi-même :

– Ma maison a brûlé cette nuit. Mon père est à l'hôpital.

Un demi-mensonge ou une demi-vérité, question de point de vue. Je ne veux pas trop impliquer Sam dans mes galères, mais il faut bien que je lui donne quelques explications.

– Aïe, le coup dur. J'espère que ce n'est pas trop grave.

Moi aussi…

– Il s'en tirera.

Une promesse que je me suis faite. Et que je compte tenir. Coûte que coûte.

Je continue avant que Sam m'interrompe :

– Théo a disparu. Je dois partir à sa recherche. J'ai besoin d'une voiture et de fringues. D'argent, aussi. Du cash, autant que tu peux m'en fournir.

– Wow. Rien que ça ? Qu'est-ce qui s'est passé avec ton frangin ? Et pourquoi tu n'es pas allée voir la police ?

– Un vrai gentleman ne pose pas de questions. Tu veux m'aider ?

Sam ne réfléchit pas longtemps.

– Je n'abandonnerai pas la seule fille capable de marquer autant que moi en une saison. En plus, je commençais à m'ennuyer depuis la fin des entraînements. Comme chaque année après l'arrêt des cours...

Tout en parlant, il étale une partie de sa garde-robe sur son lit.

– Choisis ce qui te fait plaisir. Je vais baratiner mon vieux pour qu'il me prête sa carte de crédit. Ressors par la fenêtre et retrouve-moi au coin de la rue dans cinq minutes.

– Hé, c'est pas ce qui était prévu !

– Tu ne penses quand même pas que je suis assez fou pour te laisser conduire ma Jeep, Véra Luck ?

Théo

J'ai soudain l'irréfutable conviction que ma sœur se porte au mieux.

Un jour, alors que nous n'étions encore que des gamins, Véra s'est perdue dans la foule pendant que nous visitions le Vieux Carré de la Nouvelle-Orléans à l'occasion du mardi gras. Tom a failli devenir dingue à chercher partout en hurlant son nom, persuadé qu'il lui était arrivé malheur. Moi, je suis resté d'un calme olympien. J'avais la certitude qu'elle ne courait aucun danger, bien au contraire.

De fait, nous avons fini par la retrouver dans l'arrière-salle d'un bouge, collée à la scène minuscule où s'entassait une formation de jazz pétaradante. La musique avait attiré Véra et elle se trémoussait comme une prêtresse vaudou au plus fort de la transe. Elle n'a pas compris pourquoi notre père lui a passé un savon. Elle était certaine qu'il partageait notre lien particulier. Moi aussi, d'ailleurs.

Cet épisode nous a appris que nous nous trompions. Que nous étions différents depuis que nous avions poussé notre premier cri, à quelques minutes d'écart...

– Véra est vivante. Je le sais. Je le sens.

Le major Lee me couve d'un regard à la fois désolé et perplexe.

– Je ne peux pas l'expliquer, insisté-je. Mais j'en ai la certitude. C'est comme ça avec les jumeaux. Nous sommes connectés, vous comprenez ?

– Oui. Enfin, je crois.

Elle avance une main vers la mienne par-dessus la table. Hypnotisé, je la regarde me caresser doucement le bout des doigts. Une agréable chaleur m'envahit, qui m'apaise presque autant que le mantra des superterres.

– Je te promets de tout tenter pour lui venir en aide si elle est encore en vie. Et à ton père aussi. Mais on doit songer en priorité à ta sécurité, Théo.

– Qu'est-ce qui me rend si important aux yeux du groupe BEST, au point qu'il cherche à m'assassiner ? Le colonel Kelsey n'a pas été très clair à ce sujet.

– Je ne peux pas répondre à cette question.

– Vous ne pouvez pas, ou vous ne le souhaitez pas ?

La main du major se retire.

Je réprime un frisson.

– Tu dois être fatigué, dit-elle. Va te reposer un moment.

– Ne me traitez pas comme un enfant ! J'ai seize ans cette année, au cas où l'information ne figurerait pas dans vos dossiers. J'exige que vous me considériez en adulte !

À l'autre bout du comptoir, Flynn le Furet m'adresse une grimace de dédain.

– Commence par arrêter ce genre de caprices, *gamin*...

Le major le rappelle à l'ordre :

– Ça suffit, Flynn. Je suis désolée, Théo. Je ne voulais pas te manquer de respect.

Jorge se met soudain à trépigner sur sa chaise en désignant l'écran de son ordinateur portable.

– Désolé de vous interrompre, je viens de recevoir un message urgent.

– Kelsey ? interroge le major.

– Non. Enigma !

Un ange passe dans le coin cuisine de la planque. L'air surpris du Furet m'indique qu'il ne s'agit pas d'une procédure ordinaire.

– Comment a-t-il eu accès à ta bécane ? s'étonne-t-il. Avec tous tes dispositifs de protection...

– Peu importe, élude le major. Jorge, décrypte le message en vitesse.

– Euh, pas besoin. Il est rédigé clairement. Venez voir.

Nous nous rassemblons autour de l'ordinateur. Par-dessus l'épaule de Flynn, je lis distinctement les mots en majuscules qui emplissent tout l'écran.

VOUS AVEZ 48 HEURES POUR FAIRE
LIBÉRER TOM LUCK.

UNE FOIS CE DÉLAI EXPIRÉ, JE DIFFUSERAI DANS LES MÉDIAS L'ENSEMBLE DES DOCUMENTS INDIQUANT LA LOCALISATION DES PRISONS SECRÈTES DE LA CIA DANS LE MONDE ENTIER, AINSI QUE LES NOMS DES PRISONNIERS ET DES EMPLOYÉS DE L'AGENCE AFFECTÉS AUX INTERROGATOIRES.
VOUS SAVEZ QUE JE NE BLUFFE PAS.

ENIGMA

– C'est la première fois qu'il nous menace, remarque le major. Le sort de Tom Luck semble vraiment lui importer...

– Sûrement pas autant qu'à moi ! ne puis-je m'empêcher d'intervenir. Si vous savez où se trouve mon père, il faut obéir à Enigma !

– Pas si vite, Théo. Nous devons d'abord nous assurer qu'il ne bluffe pas. Ou qu'il ne cherche pas à nous manipuler.

– Je me fiche de votre guéguerre avec lui ! Pour ce que j'en sais, c'est peut-être vous qui me manipulez ? Je suis obligé de vous croire sur parole, mais rien ne dit que vous ne mentez pas depuis le début !

Le visage buriné du colonel Kelsey apparaît alors dans une fenêtre de l'écran, imperturbable – si ce n'est un léger tic déformant la commissure droite de ses lèvres.

– Langley[1] vient de subir une attaque informatique d'une ampleur inédite, annonce-t-il. Une partie de la mémoire des serveurs a été piratée. Le coup est signé Enigma. C'est tout ce que les pontes de la CIA ont consenti à me communiquer.

Le major l'informe de la réception du message en forme d'ultimatum. Kelsey demeure plongé dans d'intenses cogitations quelques instants.

– On ne peut pas courir le risque d'une telle diffusion, tranche-t-il finalement. Le scandale créerait une grave crise diplomatique. Il faut donner à Enigma ce qu'il réclame. Major, vous avez carte blanche pour monter une opération de sauvetage. Ramenez-moi Tom Luck coûte que coûte d'ici quarante-huit heures !

1. Siège de la *Central Intelligence Agency*, situé en Virginie.

Véra

– Qu'est-ce que c'est que ce bidule ? demande Sam. Le nouvel iPhone ?

Je considère un moment l'Oracle avant de répondre :

– Même Apple n'est pas près de fabriquer un bijou pareil. Tais-toi un peu, j'ai besoin de me concentrer.

Sam n'insiste pas. J'apprécie. J'ai vraiment, vraiment besoin de rassembler mes esprits. Cogiter n'est pas mon fort, plutôt celui de Théo. Mais je suis bien obligée de me creuser la cervelle à sa place.

Nous roulons dans les rues de Beaumont depuis une demi-heure. Au cas plus que probable où des hommes du Conseiller traîneraient en ville, j'ai enfilé une tenue de fan des *Wolverines* : tee-shirt et casquette à l'effigie du glouton aux crocs saillants. Une paire de lunettes noires complète mon déguisement.

Aux yeux d'un étranger, j'espère que nous passons pour ce que nous sommes presque, Sam et moi : deux lycéens amateurs de foot en virée par une belle matinée de vacances d'été, comme il en traîne des dizaines d'autres – une chance pour nous.

J'essaie de me rappeler les explications données par Théo au sujet de l'Oracle. Puisqu'il est censé prévoir l'avenir, autant en tirer parti. Mais je ne vois pas comment. À quoi pourraient me servir de fichus pourcentages ?

Réfléchis, Véra, réfléchis ! Que ferait Théo si la situation était inversée ? Quelle question poserait-il à cette fichue machine ?

Après avoir tourné et retourné le problème dans ma tête, j'essaie la plus évidente :

– Est-ce que je parviendrai à retrouver mon frère ?

Je suspends ma respiration. Je sais, je *sens*, que Théo est toujours en vie, là n'est pas le problème...

L'écran s'illumine. Un chiffre s'affiche : 50 %.

Une chance sur deux.

Pas si mal. Mais encore insuffisant. Je refuse de perdre Théo en plus de Tom. Et à propos de ce dernier, un terrible doute m'assaille depuis ma fuite acrobatique du Parkdale Mall.

Avec un tremblement dans la voix, je demande :

– Mon père est-il en vie ?

Le pourcentage se modifie sous mes yeux, passant d'un coup à 83 %.

Je pousse un soupir de soulagement. J'avais craint que le Conseiller se venge sur Tom de son échec à la librairie. Apparemment, le curieux bonhomme tient trop à récupérer l'Oracle pour ça. Je me demande s'il détient aussi Théo. J'interroge illico l'appareil. Cette fois, le pourcentage décroît à vitesse grand V.

1 %.

Plutôt une bonne nouvelle. Puisque mon frère n'est pas tombé entre les mains du Conseiller, je ne vois guère qu'une explication à sa disparition.

Le major Crystal Lee, bien entendu. Cette pimbêche a dû voler à son secours sur le parking du Mall, puisqu'elle connaissait l'heure et le lieu de l'échange. J'imagine qu'elle n'a pas eu beaucoup de mal à le persuader de la suivre, étant donné l'effet qu'elle produit sur son cerveau de jeune mâle saturé d'hormones !

– Je dois faire le plein, dit Sam. Le réservoir est presque à sec. On en profitera pour manger un morceau. Et tu m'expliqueras pourquoi tu parles à ton portable.

– Tout ce que tu veux, mais évite la station-service du Mall.

– Comme tu voudras.

Sam met le cap sur la sortie nord de Beaumont. Quelques minutes plus tard, la Jeep rassasiée de carburant, nous nous glissons sur les banquettes du *diner* voisin de la station.

Je me découvre un appétit d'ogre en consultant le menu. Normal, je n'ai rien avalé de consistant depuis un bail – sur la route de retour du Dakota du Sud, il y a une éternité, me semble-t-il. Le chocolat offert par le major Lee à l'hôpital ne compte pas.

– Donnez-moi un double burger, une grande assiette de frites et une part de cheese-cake, ou plutôt deux. Et un verre de Coca.

La serveuse me lance un clin d'œil.

– Quel appétit, mon chou ! La nuit a dû être mouvementée.

Non mais, qu'est-ce qu'elle s'imagine ? Et ce crétin de Sam qui se garde bien de la détromper, avec son petit sourire en coin...

– Je prendrai la même chose, lâche-t-il d'un air satisfait.

Je compte mentalement jusqu'à vingt pour me calmer. Pas le moment de me fâcher avec lui. Il ne perd rien pour attendre. À la première occasion, je lui dirai ma façon de penser, à ce macho !

Sitôt servie, j'engloutis ma commande en deux temps, trois mouvements. Théo m'a toujours reproché de manger comme un cochon, d'utiliser mes doigts plutôt que des couverts. Lui ne supporte pas le contact avec des aliments gras. Sam n'a pas cette délicatesse. Il bâfre comme un véritable Texan, sans la moindre retenue.

Entre deux bouchées, il revient à la charge :

– Alors, che portable... À quoi il chert ?

Je réplique aussi sec, encore vexée par la remarque de la serveuse :

– À faire causer les gars trop curieux.

– Pff, quel caractère, Véra Luck ! Je ne sais pas dans quel pétrin tu t'es fourrée, mais tu pourrais te montrer plus aimable avec moi. Après tout, rien ne m'oblige à t'aider.

Cette fois je sors de mes gonds – l'effet de la tension accumulée depuis la découverte des cadavres dans les Badlands, sûrement ; impossible de me contenir davantage.

– Tu espères une récompense en retour ? Que je te tombe dans les bras ? Ou que je te roule une pelle, carrément ? Tu peux toujours courir ! Plutôt crever, Sam Fowley !

Quand j'emploie son nom de famille, ce n'est pas pour l'amadouer, comme lui le fait avec le mien. Au contraire !

– Bon, puisque tu le prends comme ça, dit-il en se levant brusquement, je passe aux toilettes et on s'en va.

J'attends qu'il s'éloigne, puis je rafle son portefeuille et ses clés dans les poches de son blouson et je me précipite vers la sortie.

– Ça ne va pas, les amoureux ? demande la serveuse. Vous vous êtes disputés ? Un si joli couple, quel dommage !

L'idée qu'on prenne Sam pour mon petit ami m'arrache un frisson. Je claque la porte derrière moi à en faire vibrer la vitre.

Je me dépêche d'atteindre la Jeep, folle de rage, indifférente à tout ce qui m'entoure. J'ai à peine parcouru une vingtaine de pas qu'un cri résonne dans mon dos.

– Véra ! Véra Luck !

Coup d'œil par-dessus mon épaule, sans cesser d'avancer.

Sam déboule du *diner* à fond de train en hurlant. Derrière lui, la serveuse lève les bras au ciel.

Qu'est-ce qui leur prend, à tous les deux ?
Le coup de klaxon me fait alors sursauter.
Je me retourne juste à temps pour apercevoir en gros plan le museau rutilant d'un énorme camion lancé à pleine vitesse…
Droit sur moi.

Théo

– Véra !

Je n'ai pas pu retenir mon cri.

Aussitôt, Flynn et Jorge sont sur le qui-vive.

– Un souci ? demande l'informaticien.

– Je… j'ai un mauvais pressentiment.

– Un cauchemar, c'est tout, dit le Furet avec un haussement de ses maigres épaules. Rendors-toi.

Je repousse la couverture au bout du canapé, trop excité pour songer à regagner le royaume de Morphée. Je ne crois pas avoir rêvé.

Je jurerais avoir entendu quelqu'un appeler ma sœur sur un ton paniqué. Et avoir senti Véra en danger.

Longtemps, nous avons partagé le même lit, puis la même chambre. Tom prétend que, bébés, nous refusions de fermer l'œil si l'on nous séparait. Et que nous nous agitions exactement aux mêmes moments durant notre sommeil. Comme si nous rêvions de concert. Bien sûr, nous avons fini par revendiquer chacun notre propre territoire, l'âge venant.

Toutefois, au matin, il nous est souvent arrivé de constater avoir réalisé des expériences similaires dans nos songes – voler haut dans le ciel, nager avec les baleines, etc. Cela ne nous a pas paru si bizarre que ça en a l'air. Nombre de jumeaux sont réglés sur la même longueur d'onde onirique.

Mais je ne vais pas perdre mon temps à expliquer les subtilités de la gémellité à mes gardiens. Pas au moment où Véra a plus que jamais besoin de moi.

Comment lui venir en aide ? Il faut absolument que j'y réfléchisse au calme...

Flynn s'interpose comme je me dirige vers le fond de la pièce.

– Hé, où tu vas ?

– Aux toilettes. Vous souhaitez m'accompagner ?

Le Furet affiche une moue dégoûtée. Jorge ricane dans son dos. En l'absence du major, ses deux acolytes ne cessent de s'asticoter. Pour une raison que j'ignore, Flynn m'a pris en grippe. Jorge, de son côté, me témoigne des marques de sympathie. Comme moi, j'imagine qu'il a dû souffrir pendant l'adolescence car jugé différent par ses pairs – physiquement aussi bien qu'intellectuellement. Mieux vaut se maintenir dans la moyenne au collège et au lycée. Trop maigre ou trop gros, trop malin ou trop intellectuel, et les ennuis commencent. Sans une sœur bagarreuse pour vous tirer d'affaire, cette partie de votre vie peut virer à l'enfer.

Bref.

Je m'enferme dans la salle de bains et me mets à faire les cent pas entre le bac de douche et le lavabo.

Le mantra des superterres régule mon rythme cardiaque et favorise ma concentration. Bien, voyons un peu les options qui s'offrent à moi.

Réitérer le plan du motel de ce matin me paraît difficile. La fenêtre au-dessus du W-C est protégée par des barreaux anti-intrusion. Je dois trouver une autre solution si je veux tirer ma révérence...

Des coups frappés à la porte me font tressaillir.

– Tu as bientôt fini ? s'impatiente Flynn.

– Lâche-le un peu, suggère Jorge.

– Je suis sûr qu'il mijote quelque chose. Le major nous a avertis. Ce môme est plus futé qu'il n'en a l'air.

Faut-il le prendre pour un compliment ? J'ai des doutes. Mais je ne rassure pas moins le Furet :

– Encore un moment, je suis barbouillé. J'ai dû manger un truc pas frais, sûrement la pizza.

– Si tu n'es pas sorti dans cinq minutes, je viens te chercher. Tu es prévenu.

Surtout, pas de panique. Inspire profondément. Reste concentré !

En inspectant la pièce, je remarque une gaine d'aération au niveau du sol, près de la colonne du lavabo. La grille en plastique se retire sans difficulté, pour faciliter le nettoyage. Le conduit n'est ni très haut ni très large. Avec ma faible carrure, je devrais réussir à m'y faufiler.

Cependant j'hésite. Ne commettrais-je pas une erreur en faussant compagnie aux hommes du colonel Kelsey ? Une fois livré à moi-même, je me retrouverai à la merci des tueurs lancés aux trousses des Luck. D'un autre côté, si je refuse de courir le moindre risque, je le regretterai jusqu'à la fin de mes jours en cas de malheur. Véra ne tergiverserait pas de la sorte. Il est temps que je me montre aussi courageux, sinon inconscient, qu'elle !

Je retire la grille sans bruit et m'introduis, tête la première, dans la gaine en aluminium. À force de contorsions, je parviens à avancer pouce après pouce en direction du coude formé par le boyau. Encore quelques efforts et...

Un bruit sourd retentit derrière moi. Semblable à l'explosion d'une porte. Flynn a sûrement perdu patience et fait irruption dans la salle de bains.

Je me tortille de plus belle jusqu'à atteindre l'angle à quarante-cinq degrés avant qu'il ne m'attrape par les chevilles. L'obstacle franchi, je tombe nez à nez avec une nouvelle grille d'aération, débouchant dans une salle de bains identique à celle que je viens de quitter.

Le temps de la déposer sur le carrelage, un vacarme assourdissant s'élève de l'autre côté de la cloison. Je comprends que la planque subit un assaut lorsque crépite une rafale de pistolet-mitrailleur, immédiatement suivie de cet avertissement lancé à pleine voix :

– Si vous tenez à la vie, vous avez intérêt à nous dire où est passé le gamin !

Je n'attends pas d'en apprendre davantage pour me ruer dans le salon, ouvrir la baie vitrée, sauter dans le jardin et prendre mes jambes à mon cou.

Véra

Un choc au niveau du bassin.

Le souffle coupé.

Je m'envole...

Et retombe lourdement sur le bitume, entre les bras de Sam, tandis que l'imposante masse de ferraille du camion pile dans un infernal crissement de freins à l'endroit où je me tenais un quart de seconde plus tôt, figée par la terreur.

Magnifique plaquage dans les règles, effectué par l'autre joueur vedette des *Wolverines*. Mon cœur bat à deux cents à l'heure. Celui de Sam aussi. Je le sens cogner dans sa poitrine écrasée contre la mienne.

Et son visage collé au mien, dégoulinant de sueur sous l'effet du stress et de l'effort fourni pour me sauver la vie.

Tout est allé si vite. J'aimerais remercier Sam, mais les seuls mots qui parviennent à franchir mes lèvres sont les suivants :

– Tu... Tu m'écrabouilles !

– Pardon.

Il se redresse, le rouge aux joues, et se retourne en brandissant le poing vers le routier descendu de sa cabine.

– Espèce de taré, vous avez failli la tuer !

– Ce n'est pas passé loin, en effet, mon gars. Ça lui apprendra à débouler sans prévenir... Maintenant, lève les deux bras bien haut et ferme donc ta grande gueule.

Je ne sais pas ce qui produit le plus d'effet sur Sam : le discours du chauffeur ou son revolver.

Le Conseiller apparaît alors par l'entrebâillement de la porte latérale de la remorque.

– Par ici, mademoiselle Luck. Montez à bord, je vous prie. Vous pouvez vous vanter de nous avoir donné du fil à retordre.

– Co... comment m'avez-vous retrouvée ?

– Nous vous avons pistée grâce aux caméras de surveillance disséminées en ville et jusque dans cette station-service. Les logiciels de reconnaissance faciale sont aujourd'hui capables de véritables prodiges. Votre amusant déguisement ne les a pas abusés longtemps. À présent que j'ai satisfait votre curiosité, j'apprécierais que vous obéissiez. Ou votre petit ami risque de le regretter.

D'un geste, il désigne le pauvre Sam, planté les bras en l'air. Cette fois, l'allusion à notre éventuelle liaison ne lui arrache aucun sourire.

– Faites-lui vos adieux, insiste le Conseiller. Je crains que vous ne soyez pas près de vous revoir...

J'étreins Sam et lui glisse à l'oreille :

– Préviens le major Crystal Lee à la NSA.

Dans le même temps, je fourre les clés de la Jeep dans le fond d'une de ses poches. Puis, toujours sous la menace de l'arme du chauffeur, je rejoins le Conseiller.

– Sage décision, approuve ce dernier, et son regard étincelle derrière ses lunettes cerclées de fer. En route, lance-t-il à son complice. Mieux vaut disparaître avant l'arrivée de la police.

J'ai à peine l'occasion de croiser le regard de Sam une dernière fois avant que la porte ne se referme en claquant.

Si on m'avait dit un jour qu'il allait me manquer, je ne l'aurais pas cru !

Le Conseiller m'attrape par le bras pour me guider à travers un étroit corridor vers le fond de la remorque, qui se met à cahoter tandis que le camion redémarre.

– Détendez-vous, mademoiselle Luck. Vous êtes toute crispée.

– L'idée de mourir bientôt, je suppose...

– Belle repartie ! Mais je vais me montrer magnanime et vous offrir un sursis, afin que vous soyez réunis, votre frère et vous, pour le grand finale.

Nous débouchons bientôt sur un espace presque entièrement saturé de matériel électronique et d'écrans où défilent des dizaines d'images capturées par des caméras de surveillance, fixes ou bien mobiles et aériennes – diffusées par des drones, certainement.

– J'aime rester connecté en toutes circonstances, même en déplacement, fanfaronne le Conseiller.

Il se penche vers un des opérateurs coiffés d'un casque avec micro pour demander :

– Où en est-on à Dallas ? Monsieur Luck junior a-t-il été capturé ?

Théo ! Je me mords l'intérieur d'une joue très fort pour ne pas hurler. S'ils touchent un cheveu de mon frangin, je ne réponds plus de rien...

Les doigts du technicien volent à une vitesse incroyable sur son clavier. Une image en mouvement emplit l'écran principal. Je distingue plusieurs silhouettes en combinaison d'assaut, genre SWAT[1], confinées dans une pièce dévastée. Un canapé gît retourné dans un coin. Deux types sont agenouillés au milieu d'un cercle de flingues braqués sur leur crâne, un gros et un petit maigre, le nez en sang et l'arcade fendue.

– *Nous avons un problème, monsieur,* crache une voix dans les haut-parleurs – sans doute celle du type aux lunettes-caméra. *La cible s'est enfuie.*

La poigne du Conseiller se resserre autour de mon biceps, à m'en arracher des larmes. Ce bonhomme est d'une force redoutable, je ferais mieux de m'en souvenir.

– Votre frère a décidé de jouer les trouble-fête, lui aussi, gronde-t-il tout bas. Il était écrit que les Luck nous causeraient du souci...

Changeant brutalement de ton, il aboie :

– Qu'attendez-vous pour vous lancer à sa poursuite, bande d'incapables ?

1. *Special Weapons And Tactics* : unité de police spécialisée dans les opérations paramilitaires dans les grandes villes des États-Unis, équivalent du GIPN français.

– *Ce n'est pas tout, monsieur. Nous avons trouvé un message sur l'ordinateur portable des fédéraux.*

– Et alors ? rugit le Conseiller. Vous voulez une médaille ?

– *Je pense que vous feriez mieux de le lire, monsieur,* rétorque calmement le type à la caméra en se baissant pour saisir l'appareil ouvert à ses pieds.

Il braque quelques instants le regard sur l'écran et le message en question.

Nous étouffons un juron au même moment, avec le Conseiller, en découvrant la signature.

Enigma.

Comme le hacker qui a aidé Tom pour son prochain bouquin !

– De plus en plus intéressant, rumine le Conseiller. Rapportez-moi cette machine. Et ramenez les agents du gouvernement. Je pourrais avoir l'usage de ces pantins.

– *À vos ordres.*

Fin de la communication.

Je ne sais pas quoi penser de la scène à laquelle je viens d'assister. Je retiens juste que Théo se balade dans la nature alors que les tarés qui nous courent après le croyaient entre les mains de la NSA – tout comme moi, d'ailleurs.

Où que tu sois, bro, montre-toi plus malin ! Ne les laisse pas te rattraper !

L'avenir des Luck dépend de toi, désormais.

Théo

Véra a toujours insisté pour que je fasse plus d'exercice. Du footing, en particulier. Selon elle, mon physique s'y prête – il paraît que j'ai le type marathonien.

Aujourd'hui plus que jamais, je regrette de n'avoir pas suivi ses conseils !

J'ai à peine parcouru quelques centaines de yards qu'un horrible point de côté me force à ralentir. Mais je ne peux pas abandonner. Il faut que je continue, que je mette le plus de distance possible entre la planque prise d'assaut et moi.

Je serre les dents.

Me récite le mantra des superterres au rythme saccadé de mon souffle.

Dans ma ligne de mire, les enseignes des restaurants de fast-food alignés le long de la voie express. Un endroit très fréquenté, vingt-quatre heures sur vingt-quatre, surtout les *drive-in*...

Un crissement de pneus dans mon dos. Plus vite !

Tout se mélange dans ma tête : le feu dans les poumons, une atroce morsure à l'aine, les battements frénétiques de mon cœur, les halètements rauques de ma respiration et le vrombissement d'un moteur emballé, de plus en plus proche...

J'accélère encore. J'ignore où je puise l'énergie qui m'anime, dans quelle secrète réserve de détermination, mais j'ai l'impression de voler au-dessus de l'asphalte. Comme si le sang de Véra coulait dans mes veines, gorgé d'adrénaline, me transfusant sa force.

Je tourne au coin du premier bâtiment, la pizzeria où Flynn est allé chercher le déjeuner, et me plaque au mur pour souffler un peu. J'en profite pour jeter un bref coup d'œil derrière moi.

Deux 4x4 noirs, identiques à celui qui a renversé le pick-up de M. Hutchinson, sont lancés à ma poursuite. Le premier s'engage à l'entrée du *drive-in* en coupant la priorité à un break, tandis que le second remonte la bande d'arrêt d'urgence de la voie express pour se positionner à la sortie.

Je suis pris en tenaille. Impossible de continuer ou de revenir sur mes pas sans me faire aussitôt repérer.

Pire, un trio de gros bras patibulaires s'extirpe de chaque tout-terrain et commence à explorer les environs.

Plus que jamais, le temps m'est compté.

Réfléchis, Théo, mais réfléchis rapidement – il doit bien y avoir un moyen de te tirer de ce mauvais pas !

C'est alors qu'une ombre gigantesque m'enveloppe. Un mastodonte monté sur roues s'arrête en face de moi. Un énorme mobile-home, semblable aux milliers qui sillonnent les autoroutes d'un bout à l'autre du pays.

Je n'hésite pas un instant. Une chance pareille ne se représentera pas. J'espère juste qu'elle durera encore la poignée de secondes nécessaire.

Je me rue sur la portière. Qui cède sous la pression – Dieu merci ! Je referme, au bord de la crise cardiaque.

Des jappements furieux résonnent aussitôt dans l'habitacle. Une boule de poils hérissés surgit de nulle part et se précipite sur mes mollets. Vu sa taille ridicule, l'animal ne risque pas de me faire grand mal. Je crains davantage que le barouf produit n'attire l'attention de mes poursuivants.

De la pointe d'une basket, j'écarte le cabot hargneux. La porte de communication avec l'avant du mobile-home coulisse. Une femme robuste, aux longs cheveux gris tressés en une double natte, me lance un regard outré plutôt qu'inquiet.

– Inutile de t'en prendre à Twiggy, il défend son territoire, me sermonne-t-elle.

– Demandez-lui de se taire, je vous en supplie ! Ce n'est pas ce que vous croyez...

– Et que crois-tu que je croie, jeune homme ? Silence, Twiggy. Couché.

Sans qu'elle ait eu besoin d'élever la voix, le chien miniature regagne son panier à moitié dissimulé sous la banquette du coin cuisine.

– On dirait que tu as des ennuis, reprend celle qui vient de me sauver la vie sans s'en douter. À cause de la drogue ?

– Hein ? Non, pas du tout ! Je n'y ai jamais touché, je vous le jure !

– Tu sembles sincère, approuve-t-elle. Et tu ne ressembles pas aux voyous qui détroussent les touristes pour se payer leur dose.

Je dois avoir l'air surpris qu'elle prétende les reconnaître à coup sûr, car elle enchaîne :

– J'ai travaillé dans un centre de désintoxication. Je sais de quoi je parle. Tu parais clean. Comment t'appelles-tu et pourquoi as-tu fait intrusion dans ce véhicule ?

Autant aller au plus simple :

– On me traque. Pour me tuer. J'ignore pourquoi. C'est la vérité.

Enfin, une partie…

– Ne bouge pas.

Je me fige comme Twiggy. Si elle m'avait demandé de me coucher, je serais aplati sur le lino en ce moment !

Elle relève un store pour observer les environs.

– Hum, grogne-t-elle après quelques instants. Ces types ne sont sûrement pas flics. Je sais de quoi je parle.

Sa phrase favorite, apparemment. Elle précise avec un geste du menton en direction du compartiment conduite :

– J'en ai épousé un il y a près de cinquante ans !

Véra

– Vous avez en votre possession un objet qui ne vous appartient pas, rappelle le Conseiller. Je vous prierai de me le rendre sans faire d'histoires, mademoiselle Luck.

Contrainte et forcée, je lui remets l'Oracle.

– Merci…

Pendant quelques instants, il considère l'appareil en fronçant les sourcils d'un air songeur.

– Combien de chances y avait-il pour que ce joujou tombe entre vos mains ?

Je m'attends à ce que l'écran affiche un nouveau pourcentage, il ne s'allume pas. Je m'étonne à voix haute :

– Il ne fonctionne pas avec vous ?

– Pas celui-ci, non. Il n'a pas été configuré pour mon usage personnel, mais pour celui de l'incapable que j'avais expédié dans les Badlands et qui s'y est fait bêtement piéger par un agent de la NSA.

Enfin, au moins aura-t-il réussi à l'entraîner avec lui dans la mort... Bref, vous comprendrez que, pour une évidente question de sécurité, n'importe qui ne peut pas utiliser l'Oracle. Le système de reconnaissance vocale intégré ne réagit qu'à un registre de fréquences très précises.

– Pourtant il a fonctionné avec moi !

– Étrange, j'en conviens. Il existe sûrement une explication logique. J'y réfléchirai en temps utile.

Le Conseiller m'adresse un sourire ironique. Je le frapperais si je n'étais pas encadrée par une paire de balèzes armés de pistolets. Pourquoi ne semble-t-il pas davantage étonné ?

– L'Oracle n'est qu'un gadget, continue-t-il. Le véritable pouvoir des *big data* ne réside pas dans ce petit jeu de statistiques à court terme, même s'il permet à mon employeur de réaliser de jolis coups en Bourse. Au-delà de la simple prévision, n'est-il pas plus intéressant d'orienter l'avenir ? Je vous pose sérieusement la question, mademoiselle Luck.

– Orienter l'avenir ?

Je me fais l'effet d'un perroquet, à répéter bêtement les paroles du Conseiller. Mais j'ai vraiment du mal à comprendre où il veut en venir.

– Souvenez-vous, qui contrôle l'information contrôle le monde. L'analyse du déluge de données numériques abandonnées sur les réseaux par les citoyens connectés partout sur la planète a permis de modéliser le comportement de nos sociétés. Et si l'inverse était possible ? Si la manipulation de ces modèles avait un effet sur la réalité ?

– Vous envisagez de contrôler les populations en influençant leurs décisions par le Net ?

J'ai du mal à y croire. Toutefois la réaction du Conseiller prouve que j'ai mis dans le mille.

– Une parfaite synthèse des intentions de mon employeur, mademoiselle Luck. Je vous félicite pour votre sagacité. Notez que je n'en attendais pas moins de la fille d'un auteur d'anticipation tel que Tom Luck.

Et en plus, il se fout de moi ! J'évite de m'énerver pour déclarer :

– Les gens ne se laisseront pas abuser si facilement.

– Ne soyez pas naïve ! Les grandes entreprises du Net agissent déjà de la sorte. En affinant sans cesse les profils de leurs usagers, elles sont en mesure de leur proposer des publicités ciblées pour toutes sortes de produits. Ainsi les comportements sont-ils conditionnés. Mais il faut voir plus loin, beaucoup plus loin qu'une triviale affaire de commerce. 35 % de la population mondiale utilise Internet et ce chiffre est en perpétuelle augmentation. Douze milliards d'appareils sont connectés en réseaux et il y en a chaque jour de plus en plus. Pour tous ces gens, comme vous dites, où croyez-vous que se situe la réalité ? Dans le monde qui les entoure ou dans celui des *big data* ? Ils sont incapables de distinguer une information avérée d'une autre fabriquée, car ils ne peuvent la vérifier que sur le Net. Qui contrôle l'information contrôle le monde, mademoiselle Luck. CQFD.

– Vous vous répétez.

Ce type n'est pas seulement dangereux, il est complètement mégalo. Et son fameux employeur aussi.

Contrôler le monde en maîtrisant l'avenir par Internet...

Je reconnais ce scénario. C'est celui de *Futur en danger*. Dans le manuscrit de Tom, Enigma menace la planète en piratant les données de l'ensemble des serveurs ; il en tire une super intelligence artificielle, omnisciente, qui parvient à dominer l'espèce humaine en prévoyant tous les coups portés contre elle et en les déjouant facilement.

Le roman inachevé de Tom ne serait donc pas une pure fiction ?

Admettons.

Mais ça n'explique pas pourquoi le Conseiller s'acharne après mon frère et moi.

Comment pourrions-nous menacer une organisation aussi puissante que la sienne ?

Et surtout, quel est le lien entre l'Oracle et moi ? Pourquoi a-t-il répondu à mes questions ?

Le Conseiller a évoqué un problème de configuration, une histoire de fréquence vocale...

Comment l'appareil pouvait-il reconnaître la mienne ?

Cela n'a pas de sens ! Je ne suis qu'une ado de Beaumont, Texas, un trou semblable à des milliers d'autres...

– Pour vous prouver que je ne suis pas le monstre que vous croyez, reprend le Conseiller avec un mince sourire, je vais vous autoriser à renouer avec votre père le temps que nous arrivions à destination.

D'un signe, il ordonne à ses sbires de m'escorter jusqu'à un compartiment de la remorque que je n'avais pas remarqué, en retrait de la pièce aux écrans. Une forte odeur de produit pharmaceutique emplit l'endroit, qui me rappelle l'infirmerie du lycée.

D'abord, je ne repère que le gros type barbu avec sa blouse blanche, penché sur une civière...

Puis je distingue la silhouette allongée sous une couverture isotherme, sanglée aux chevilles et à la poitrine.

– Daddy !

Le barbu sursaute et se redresse.

– Je vous confie mademoiselle Luck, docteur Beller, lance le Conseiller par-dessus mon épaule. Prenez autant soin d'elle que de son père jusqu'à ce que nous ayons quitté l'État.

– Et ensuite ? interroge le gros médecin.

– Nous attendrons que le jeune Théo nous ait rejoints, puis nous organiserons une mise en scène originale pour la petite famille. Je vois d'ici les commentaires de la presse : « *Suite à l'incendie de sa maison et à la perte de ses biens, l'écrivain Tom Luck disparaît avec ses enfants et organise leur suicide collectif dans le désert du Nouveau-Mexique.* » Une vraie tragédie !

Théo

Frank et Sally Cunningham forment ce que l'on appelle un couple fusionnel ou symbiotique, en totale dépendance l'un de l'autre et toujours amoureux après un demi-siècle de mariage. Leur attitude, les petits gestes et les regards échangés me le prouvent en permanence. Après tant d'années, ils n'ont plus besoin de s'exprimer à voix haute pour se comprendre.

Je saisis la nature de leur relation sans qu'ils aient besoin de me l'expliquer. Un jumeau y est davantage sensible qu'un individu isolé dans sa fratrie. De la même façon, je sens que je peux leur faire confiance. Bien que Frank, conditionné par ses réflexes d'ancien policier, ait tendance à se montrer plus soupçonneux que son épouse.

– Ces gars ont déjà essayé de vous tuer dans le Dakota du Sud et hier soir en ville, résume-t-il sans quitter l'autoroute des yeux, les mains fermement cramponnées au volant du mobile-home, dans la parfaite position du conducteur chevronné. Et maintenant, ils vous pourchassent, toi et ta sœur…

– Ta sœur et toi, ne puis-je m'empêcher de le corriger avec une pensée émue pour le major Lee.

– C'est pareil, grogne-t-il. Ne m'interromps pas, fiston.

Je ne le détrompe pas, malgré l'envie qui me vient spontanément.

– Donc, enchaîne-t-il sur un ton bourru, vous représentez une menace pour une organisation qui se moque visiblement de la loi et n'hésite pas à engager une équipe d'assassins. Autrement dit, une mafia.

Je n'infirme ni ne confirme sa déduction. Il me paraît plus prudent de passer sous silence les révélations du colonel Kelsey au sujet du groupe BEST, ainsi que l'implication de la NSA dans cette folle affaire. Moins les Cunningham en sauront, mieux cela vaudra pour eux. Je ne me pardonnerais pas d'attirer le malheur sur mes Bons Samaritains, surtout après avoir expédié le pauvre M. Hutchinson à l'hôpital.

– Pourquoi n'as-tu pas prévenu la police, fiston ?

Je m'attendais à cette question.

– Vos collègues ne me croiraient pas plus que vous. Alors à quoi bon ?

– Tu n'aurais pas quelque chose à cacher ? Je pense que tu nous dissimules une partie de la vérité. J'ai participé à des centaines d'interrogatoires au long de ma carrière. Tu ne peux pas me mener en bateau, fiston.

Pris de court, je cherche de l'aide du côté de Sally, assise à ma droite sur la large banquette passager. La vieille dame aux nattes grises me couve d'un regard tendre tout en caressant la nuque de Twiggy, roulé en boule sur ses genoux.

– Ce garçon n'a rien de commun avec les voyous que tu as côtoyés, dit-elle. Il est honnête, cela crève les yeux. Il nous racontera son histoire quand il le jugera nécessaire. N'est-ce pas, Théo ?

– Ou... oui, merci, bredouillé-je, ému par cette déclaration.

Frank affiche une moue renfrognée. Mais il ne proteste pas. Je sais exactement ce qui se passe en ce moment dans sa tête. Cinquante années d'amour et d'affection y ont développé un sixième sens de même nature que celui qui me relie à Véra. Jamais il ne discutera une décision prise en toute liberté par son âme sœur...

Songer à la mienne provoque aussitôt un déluge de larmes. Impossible de me retenir. Je libère d'un coup la tension accumulée ces dernières heures, alternant hoquets et reniflements.

– Pleure, mon garçon, m'encourage Sally. Ouvre les vannes en grand.

Elle pose Twiggy à ses pieds pour m'enlacer. Sourd aux grondements de protestation de l'animal, je me laisse aller sur le giron de cette grand-mère de substitution, sans fausse honte.

– Ça va mieux ? demande-t-elle en me tendant un mouchoir en papier lorsque je me cale à nouveau contre le dossier, les yeux encore embués.

J'acquiesce et essuie mes joues.

– Tant que tu resteras avec nous, tu ne risqueras rien, ajoute-t-elle. Chaque minute nous éloigne un peu plus de Dallas et du danger.

– C'est vrai, renchérit Frank. Aucun 4x4 noir ne nous file. J'ai vérifié dans le rétroviseur. Tes mafieux n'ont aucune chance de te retrouver à présent.

Véra

J'ai perdu la notion du temps depuis que je suis enfermée dans cette boîte métallique aveugle et parfaitement insonorisée. Seules les vibrations du plancher m'indiquent que le camion roule toujours vers ce qui sera, pour Tom et moi, notre destination finale.

Si encore je pouvais profiter de ces dernières heures avec lui… Mon père semble plongé dans une espèce de coma. Je suis sûre qu'il ne dort pas, parce qu'il ne ronfle pas comme à son habitude. Sa poitrine se soulève à peine sous la couverture isotherme.

Quand j'ai demandé au gros toubib ce qu'il lui avait injecté, je me suis heurtée à un mur. Beller – le nom prononcé par le Conseiller – se débrouille pour m'ignorer malgré notre promiscuité. Ne vous étonnez pas que j'emploie un mot pareil, je l'ai piqué dans un roman de Tom et Théo m'en a expliqué le sens. Je ne pensais pas avoir l'occasion de le replacer un jour.

Théo…

Où que tu sois, bro, je t'en supplie, n'essaie pas de me retrouver ! Fuis, le plus vite et le plus loin possible ! Quitte le pays et ne reviens jamais ! Si tu m'entends, obéis-moi !

Mais tu n'en feras rien, pas vrai ?

Je te connais, tu ne manqueras sous aucun prétexte le rendez-vous fixé dans une semaine sur la tombe de notre mère, pour notre anniversaire. Normalement, moi non plus. Ni Tom. Sauf que cette fois, on risque d'avoir un sérieux empêchement, toi et moi.

Vraiment désolée, bro...

Au bout d'un moment qui me paraît durer une éternité, le Conseiller refait son apparition. Son air contrarié m'apporte un peu de soulagement. Il ne tirerait pas une tronche pareille si ses hommes avaient mis la main sur Théo.

– Nous arrivons dans quelques minutes, prévient-il. Préparez nos invités, docteur. Je tiens à ce qu'ils ne causent aucun problème. Surtout cette jeune demoiselle.

Bref coup d'œil en biais sur ma personne, par-dessus les verres cerclés de fer de ses lunettes.

– Je m'en occupe, rétorque Beller.

Je frémis en le voyant s'emparer d'une seringue et d'un flacon empli d'un liquide incolore – je remarque seulement qu'il lui manque un morceau de doigt, coupé à hauteur de la première phalange, à la main droite.

– Vous allez me shooter, moi aussi ?

– Pas d'histoires. Il s'agit d'un léger sédatif.

– Doublez la dose pour mademoiselle Luck, ordonne le Conseiller.

– On risque de la détecter à l'autopsie, avertit Beller.

Je ravale ma salive. Autopsie, voilà le genre de mot dont je préférerais ignorer la définition !

– Tranquillisez-vous, docteur. Le drame n'aura pas lieu ce soir. Il nous manque le troisième rôle de la pièce. Mais il ne nous échappera pas longtemps.

J'aimerais crier ma joie de savoir Théo en liberté, seulement le Conseiller me prend de vitesse. D'une poigne de fer, il m'oblige à tendre l'avant-bras, tandis que son autre main se plaque sur ma bouche.

L'aiguille glacée s'enfonce dans ma chair à la saignée du coude.

Le froid m'envahit. Je frissonne.

– Ça va passer, dit Beller. Bientôt vous vous sentirez mieux...

Le volume de sa voix baisse peu à peu comme à la fin d'une chanson. Je ne perçois plus qu'un vague marmonnement en guise de fond sonore.

Les mouvements du docteur ralentissent, à croire qu'il se déplace dans un brouillard de mélasse – d'ailleurs, je commence à voir flou.

Je me sens mollassonne, d'un coup.

Deux mains solides m'agrippent sous les aisselles avant que je ne m'effondre. Celles du Conseiller sans doute. J'ai envie de me débattre mais je me contente de m'affaisser, les bras ballants, faute d'énergie.

Un léger sédatif, tu parles !

Il ne faut pas que je m'endorme. Je dois lutter, de toutes mes forces, contre le sommeil...

Je dois lutter...

Ne pas fermer les yeux...

On m'étend sur une civière...

Je suis bien, allongée sur le dos...

Tellement détendue...

Si fatiguée...

Fatiguée...

Fati...

Fa...

...

Théo

La première pensée qui me vient à l'esprit lorsque je rouvre les yeux n'a rien d'agréable.

Je crois avoir rêvé de Véra. Elle me suppliait de renoncer au pèlerinage sur la tombe de notre mère pour commémorer l'anniversaire de sa disparition. Le pire, c'est que je n'y pensais même plus !

Pour la première fois depuis que la réalité de son absence m'a frappé, l'année de mon entrée à l'école, j'ai oublié que maman était morte.

Troublé par ce constat, je pose un pied hésitant sur le sol et manque écraser Twiggy. Les jappements du minuscule canidé résonnent dans l'espace confiné du mobile-home avec la puissance d'une batterie de canon. La porte ne tarde pas à s'ouvrir, laissant pénétrer un rai de lumière dorée jusqu'au milieu des draps froissés.

– Ah, tu es réveillé ! s'exclame joyeusement Sally. Tu t'es écroulé dans notre lit hier en fin d'après-midi, à bout de forces. Nous n'avons pas voulu te déranger, avec Frank. Nous avons passé la nuit dans nos fauteuils, à la belle étoile. Mais Twiggy n'aurait abandonné sa place pour rien au monde.

Confus d'avoir obligé mes hôtes à coucher dehors, je marmonne de vagues excuses et demande :

– J'ai dormi longtemps ?

– Pas loin de douze heures. Tu avais vraiment besoin de repos. Il faut que tu reprennes des forces, maintenant. Je vais te préparer un solide petit-déjeuner. Sors respirer le bon air du matin en attendant. Il fait un temps splendide.

Une douce chaleur m'enveloppe sitôt que je franchis le seuil du mobile-home. Le disque orangé du soleil flotte légèrement au-dessus de l'horizon vallonné. Mille couleurs chatoyantes illuminent un ciel encore partagé entre la nuit, à l'ouest, et le jour, à l'est. La beauté du paysage environnant est à couper le souffle.

Indifférent, Twiggy se précipite sur un pneu du véhicule pour saluer ce nouveau jour à sa façon, levant la patte et libérant un jet d'urine.

Je m'assieds dans le fauteuil libéré par Sally, à côté de celui de Frank. Une couverture brodée sur les genoux, le vieil homme contemple paisiblement les dunes semées de rocs rouges et plantées d'innombrables cactus et yuccas.

– Chaque aube est unique, fiston. Je ne me lasse pas de ce spectacle.

– Où sommes-nous ?

– Dans le nord du désert du Chihuahua, au Nouveau-Mexique. Pas très loin d'Albuquerque. L'autoroute est juste derrière cette butte.

D'un geste, il indique le dos rond d'une colline arborée, quelques miles plus loin, où se perd la piste de terre battue en bordure de laquelle nous sommes garés.

– Ma première intention, reprend Frank, était de gagner la ville pendant que tu dormais pour te remettre aux autorités. Mais Sally m'a convaincu de ne pas alerter mes anciens collègues. J'ai accepté de t'offrir un délai. À condition que tu joues cartes sur table, fiston. Qui te court après et pourquoi ?

Je reste un moment silencieux, le regard perdu sur l'immensité magnifique du désert. L'endroit est si calme que je n'ai pas besoin d'invoquer le mantra des superterres. D'une voix assurée, je raconte toute l'histoire à l'ancien policier sans rien lui dissimuler.

Lorsque j'arrête de parler, je remarque Sally plantée à mes côtés avec un plateau chargé de victuailles. Ses yeux brillent, mais c'est peut-être l'effet des premiers feux du soleil.

– Mangeons, dit-elle en distribuant des assiettes remplies à ras bord. On réfléchira mieux au moyen de t'aider avec l'estomac plein.

Frank grogne pour manifester son assentiment.

Les effluves d'œufs brouillés et de bacon frit me font saliver. Je réalise que je meurs de faim. Il me faut fournir un effort pour ne pas dévorer ce petit-déjeuner aussi goulûment que je le souhaiterais. Pourtant je n'ai jamais aimé la manière dont mes compatriotes texans se comportent à table – un sujet de discussions passionnées avec Véra, jamais gênée d'utiliser ses doigts en guise de couverts.

Twiggy passe auprès de chacun de nous quémander sa part. Je lui cède un peu de viande sous le regard désapprobateur de Frank. J'ai presque achevé de nettoyer le fond de mon assiette à l'aide d'une tranche de pain de mie quand le cabot miniature se met à aboyer comme un fou en direction de la butte.

Une nuée de poussière s'élève au sommet, dans le prolongement de la piste. La lumière du crépuscule accroche des reflets à la carrosserie du véhicule en approche.

Une approche vraiment rapide...

Frank se redresse dans son fauteuil.

– Va me chercher mon pistolet, commande-t-il à sa femme. Et enfermez-vous à l'intérieur avec le gamin. En cas de pépin, démarre et n'hésite pas à foncer dans le tas.

– Tu es sûr que...

– Ne discute pas et fais ce que je te dis, pour une fois ! Ils seront là dans moins d'une minute.

Véra

J'ouvre les yeux péniblement. Ma tête est comme remplie de coton. Mes membres aussi, je m'en rends compte quand j'essaie de m'asseoir au bord du lit...

– Ne force pas, tu es toujours sous l'effet du sédatif.

Le docteur Beller émerge de la brume qui m'entoure. Il m'attrape le poignet pour vérifier mon pouls.

– Un cœur de championne, lâche-t-il au bout de quelques instants. Tu vas vite récupérer. *Trop* vite, se hâte-t-il de préciser.

Il tend alors le bras vers une masse informe dans le brouillard. Je perçois des bruits de verre et de métal qu'on entrechoque. Puis la main au doigt amputé réapparaît dans mon champ de vision rétréci, brandissant une seringue.

Encore un shoot...

Pas question ! Je tente de me dérober, glisse sur le drap et m'étale par terre, plutôt rudement.

– Ne complique pas la situation, me supplie presque Beller en contournant le lit.

Impossible de me relever. Mes jambes refusent de m'obéir. Je me mets alors à ramper sur le carrelage glacé, sans savoir où je vais.

Mon front heurte une surface lisse et froide. Un mur ou la porte d'un placard. Dans un ultime effort, je parviens à m'y adosser pour faire face à mon adversaire, jambes repliées et genoux à hauteur du visage.

La silhouette du docteur surgit soudain des limbes nuageux. J'attends en retenant mon souffle qu'il se penche au-dessus de moi, puis je détends brusquement mes jambes, visant sa bedaine.

Même à moitié sonnée, je suis capable de faire mal !

J'entends Beller couiner avant de partir en arrière, les bras remuant en tous sens, comme s'il voulait s'envoler.

Sans perdre une seconde, je me traîne jusqu'à l'endroit où il vient de s'effondrer avec fracas. Je tâtonne et trouve la seringue, roulée au pied du lit. Puis j'enfonce l'aiguille aussi profondément que possible dans l'épaule du toubib et j'appuie sur le piston.

Beller s'agite un peu, mais finit par mollir. Bientôt, il ne bouge plus.

Victoire par K-O.

Je ne dois pas m'attarder. Le bruit a pu attirer l'attention.

Problème numéro un : je ne vois toujours rien à plus de cinq pas et je me sens drôlement flagada.

Problème numéro deux : j'ignore totalement où je me trouve (plus à bord du camion, puisque je ne ressens aucune vibration, à moins qu'il ne soit à l'arrêt).

Problème numéro trois : comment me remettre debout ?

Bon, il n'y a pas trente-six solutions...

Je m'accroche au montant en ferraille du lit et tire sur mes bras. Heureusement que j'ai l'habitude des pompes et des tractions !

Une fois d'aplomb, un nouveau défi se présente : mes jambes accepteront-elles de me porter ?

Il semble que oui. La station debout doit favoriser l'élimination des toxines injectées par le gros médecin en améliorant la circulation du sang dans mes membres inférieurs. Ma vision s'affine. Ce n'est pas top, mais j'y vois assez pour ne pas m'emplafonner le premier obstacle venu.

Je m'exerce avec prudence à quelques allers et retours d'un mur à l'autre de ce qui ressemble à une chambre – anonyme, claire, propre, comme dans n'importe quel hôpital.

En toute logique, je m'attends à croiser du personnel en blouse blanche ou verte une fois la porte franchie. Des patients et des visiteurs dans les couloirs. Enfin, le truc ordinaire.

Je ne découvre rien de tout ça.

Juste un bête corridor avec une rangée de portes identiques d'un côté, et de l'autre une succession de minces fenêtres horizontales qui laissent filtrer l'éblouissante lumière du jour.

Personne en vue. Je colle mon nez à la vitre la plus proche. Une bande de ciel bleu vif, des taches de verdure, les formes géométriques de bâtiments brillant sous le soleil et partout du mouvement. Je fronce les sourcils pour tâcher de faire le point.

Des dizaines d'hommes et de femmes vont et viennent sur les allées qui sillonnent ce drôle de village au design futuriste. À pied, en vélo, en voiturette électrique et sur ces bizarres engins à deux roues munis d'un guidon en forme de manche à balai – Théo me donnerait leur nom s'il se trouvait là.

Qu'est-ce que c'est que cet endroit ? Pas un hôpital, car personne ne porte de blouse. On dirait un campus d'université. Mais ça n'a aucun sens. Pourquoi le Conseiller m'aurait-il cachée au milieu de centaines d'étudiants ?

Pas seulement moi d'ailleurs...

Tom était dans le camion, lui aussi, je m'en souviens à présent.

D'un pas chancelant, je me dirige vers la porte voisine de celle de ma chambre. Même si j'ignore comment je pourrai transporter un Tom inconscient dans mon état, je suis prête à tout tenter pour le tirer de là si jamais...

La serrure est verrouillée et il faut une carte magnétique pour entrer ! Je distingue les petits boîtiers alignés au niveau des poignées. Étouffant un juron, je m'éloigne, la mort dans l'âme – je ne serais d'aucune utilité à mon père si je me faisais à nouveau pincer.

L'extrémité du corridor débouche sur un escalier de secours extérieur. Pas besoin de carte pour en débloquer l'issue, loués soient les dieux de la sécurité anti-incendie !

Le passage d'un univers climatisé à la chaleur sèche du dehors me donne le tournis. Je m'agrippe un moment à la rampe métallique pour ne pas vaciller. Inspire un grand coup. La sensation de vertige s'atténue.

J'aborde la volée de marches en métal d'un pied plus ou moins assuré. Heureusement, je n'ai que deux étages à dévaler. Arrivée au rez-de-chaussée, je me faufile au cœur du massif de genévriers qui s'étoffe à proximité.

Planquée là, j'observe les allées et venues de l'étrange population locale.

Qui sont ces gens ?

Quels rapports le Conseiller entretient-il avec eux ?

Des détails m'apparaissent à présent que j'y vois plus clair. Tous portent un badge pendu au cou ou accroché à la poche de poitrine. La plupart sont jeunes, vêtus de façon décontractée, avec une nette préférence pour les bermudas et les tee-shirts à l'effigie de héros de comics.

Mais pas tous. J'aperçois soudain un uniforme bleu marine, puis un deuxième et un troisième au milieu de cette foule colorée. Des vigiles, casquette vissée sur le crâne, pistolet à la ceinture. Le trio converge sans erreur possible vers l'entrée de l'immeuble que je viens de quitter.

La dose de sédatif administrée au docteur n'était peut-être pas assez puissante. Il a réussi à donner l'alerte. Sans doute à l'aide d'un portable. J'aurais dû vérifier ses poches. Quelle idiote ! Il faut que je me tire d'ici.

Je m'extirpe de ma cachette dans le sillage d'un petit groupe animé – les rires et les blagues fusent – et j'essaie de sourire pour ne pas faire tache. J'espère passer pour l'une des leurs malgré l'absence de badge. On me donne souvent plus que mes (bientôt) seize ans et...

Une main s'abat sur mon épaule. J'étouffe un cri et me retourne. À la place du vigile auquel je m'attendais, une jeune femme en tailleur me sourit de toute la blancheur de sa parfaite denture (Théo m'a appris qu'on ne devait pas dire « dentition »). Sur son badge sont inscrits son prénom, Carole, sa fonction, guide, ainsi que le nom de la société pour laquelle elle travaille : BEST.

– Tu t'es perdue pendant la visite ? Ça arrive à chaque fois ! Le site est tellement vaste... Suis-moi, je vais t'aider à retrouver tes parents.

Si seulement elle en avait le pouvoir !

Théo

La voiture dérape dans la poussière avant de s'immobiliser devant le mobile-home.

Impassible, Frank attend assis dans son fauteuil, sa couverture remontée jusqu'à la taille dissimulant le revolver braqué sur la piste.

Sally et moi retenons notre souffle. Elle empêche Twiggy d'aboyer en lui fermant le museau dans son poing.

J'ose à peine soulever les lamelles du store pour regarder ce qui se passe dehors.

La portière s'ouvre côté conducteur. Une paire de bottes apparaissent, prolongées de longues et fines jambes moulées de cuir.

Mon cœur saute un ou deux battements en reconnaissant la combinaison de motard.

– Tu n'avais pas précisé qu'elle était si jolie, souffle Sally en découvrant la nouvelle venue et comprenant immédiatement de qui il s'agit.

Le major Crystal Lee braque son magnifique regard d'azur limpide droit sur moi à travers la vitre du mobile-home.

– Dépêche-toi, Théo ! Nous n'avons pas une seconde à perdre.

Nous sortons. Frank, décontenancé, salue maladroitement la belle espionne.

– Plus tard les civilités, lieutenant Cunningham, lui renvoie-t-elle illico. Vous êtes tous en danger.

– Vous savez qui je suis ? s'étonne l'ancien policier.

– Je vous expliquerai en route. Grimpez, je vais vous évacuer.

– Mais on ne peut pas abandonner…

– À ton tour d'obéir sans discuter, vieille tête de mule, le coupe Sally. Nous vous suivons, ma chère.

Montrant l'exemple, elle se glisse à l'arrière de la voiture, Twiggy toujours coincé sous un bras. Frank capitule de mauvaise grâce.

Je m'installe à mon tour sur le siège passager. À peine ai-je bouclé ma ceinture que le major redémarre en trombe.

Secoués dans tous les sens, nous nous éloignons des collines à une allure déraisonnable eu égard à l'état de la piste.

– Ce n'est pas la direction de l'autoroute, remarque Frank.

– Non, celle de la sécurité, rétorque le major. Tu as de la chance que je sois arrivée la première, Théo. Encore que, dans ton cas, je me demande si on peut parler de chance au sens habituel…

Une question que je me pose de plus en plus moi-même, à vrai dire !

– On t'a repéré quand tu montais à bord du mobile-home grâce aux enregistrements des caméras de surveillance du *drive-in*, m'informe le major. La plaque nous a indiqué le nom du propriétaire. Le colonel Kelsey a ordonné une recherche par satellite. Nos spécialistes se sont défoncés. Ils vous ont traqués jusque dans le désert, mais ils n'ont pas été les seuls. Les 4x4 noirs sillonnent les environs.

Me souvenant de la mission confiée par Kelsey la veille, j'exprime mon inquiétude :

– Vous devriez être en train de sauver mon père. L'ultimatum d'Enigma expire dans un peu plus de vingt-quatre heures.

– Ses ravisseurs le garderont en vie tant que tu leur échapperas. Ils savent que toi et ta sœur... pardon, ta sœur et toi, serez prêts à tout pour voler à son secours et tomber entre leurs griffes. Et mon boulot consiste à t'empêcher de commettre cette erreur. Tu es plus important que les secrets de la CIA. Tant pis si Enigma finit par en divulguer quelques-uns.

Elle n'ajoute plus rien pendant les minutes qui suivent. Bientôt, la piste rejoint une route carrossable digne de ce nom, la 337.

Nous filons ensuite plein nord à très vive allure, dans un paysage au relief de plus en plus prononcé. La végétation s'étoffe à mesure que nous gagnons de l'altitude. Les pins remplacent les cactus et les yuccas.

Les tons rouge et ocre s'estompent au profit d'un vert soutenu. Seul le bleu intense du ciel demeure immuable au-dessus de nos têtes.

« Tu es plus important que les secrets de la CIA. »

Cette phrase me plonge dans des abîmes de doute et de réflexion. Qu'est-ce qui me rend donc si précieux, au point de préférer sacrifier la confidentialité de renseignements classés secret-défense ?

Si la plupart des adolescents fantasment sur d'extraordinaires destinées afin d'échapper à la banalité de leur quotidien, je n'ai pour ma part toujours aspiré qu'au calme et à la tranquillité. La mort de notre mère a mis en évidence la cruauté et l'hostilité de ce monde. J'ai décidé de m'en protéger en érigeant autour de moi des barrières infranchissables pour quiconque hormis Tom et Véra, quand cette dernière prenait au contraire un malin plaisir à se confronter aux périls de l'extérieur.

Alors pourquoi me considère-t-on aujourd'hui comme un sujet d'une valeur telle que deux organisations parmi les plus puissantes se livrent une guerre sans merci autour de ma personne ?

Après quelques miles à serpenter sur les crêtes, la route 337 suit une lente déclinaison jusqu'à une petite bourgade en fond de vallée. Tijeras n'offre aucun intérêt particulier sinon celui d'être traversée par l'autoroute inter-États 40, en provenance de la côte est et à destination de Los Angeles. Le genre de connaissances parfaitement inutiles à l'heure d'Internet et du GPS, dont je me suis pourtant encombré l'esprit au cours des années et qui m'ont partout fait passer au mieux pour un illuminé, au pire pour un inadapté.

– Je vous déposerai chez votre fille à Albuquerque, annonce le major Lee au couple installé à l'arrière. Je suppose que c'est là que vous vous rendiez.

Comme Sally acquiesce, la conductrice précise :

– Inutile de vous demander de garder le silence. Signalez le vol de votre mobile-home et ne cherchez surtout pas à le récupérer. Et oubliez que vous avez croisé la route de ce garçon. Cela vaudra mieux pour vous et pour lui.

Pas une menace, juste un conseil de bon sens.

Vingt minutes plus tard, nous nous arrêtons dans la rue résidentielle d'une banlieue proprette. Le major s'assure que tout est normal alentour avant de nous autoriser à descendre sur le trottoir pour nous faire nos adieux.

Sally manque m'étouffer dans son étreinte. Je caresse furtivement le crâne de Twiggy, qui grogne en montrant les dents. Frank s'approche, la main tendue, puis me donne l'accolade en me glissant tout bas à l'oreille :

– Prends soin de toi, fiston. Voilà un cadeau qui pourra t'être utile.

Un objet lourd et compact enfle la poche de mon short extra large de skateur. Je rabats mon tee-shirt par-dessus avant de remonter en voiture.

– Ne t'inquiète pas pour eux, Théo. Les tueurs de BEST ne s'intéressent qu'à toi.

Et c'est censé me rassurer ?

Je me récite le mantra des superterres tout en serrant le poing autour de la crosse du revolver dans le fond de ma poche. Je n'ai jamais utilisé aucune arme, ce qui me différencie de la plupart des adolescents américains. Aussi j'ignore quelle serait ma réaction si je devais défendre ma vie face à un assassin.

J'espère n'avoir pas à le découvrir de sitôt.

Véra

Un hologramme géant tourne lentement sur lui-même en plein milieu du hall, à environ vingt pieds du sol. Sous le logo représentant un aigle stylisé aux ailes déployées, on peut lire :

Institut Eagle de Recherches & Développement
Énergie – Information – Environnement
Le Futur, Ici et Maintenant !

Rien que ça...

Carole, ma guide, sort son téléphone portable.

– Veux-tu que je fasse une annonce pour avertir tes parents que tu les attends ici ?

– Je ne crois pas que ça sera nécessaire, merci.

– Avec quel groupe es-tu venue ? insiste-t-elle. Oh, un instant, j'ai un message...

Son front se plisse quand elle découvre ce qui s'affiche sur l'écran.

– Comment as-tu dit que tu t'appelais, au fait ? demande-t-elle en esquissant un geste pour me retenir.

Je la repousse violemment. Pas besoin d'être devin pour piger que l'alerte générale vient de sonner, du moins sur les portables des employés du site.

Carole se met alors à hurler :

– Arrêtez-la !

Je m'élance vers le sas de sortie, bousculant au passage une brochette de geeks tétanisés par les cris de la jeune femme. Du coin de l'œil, j'aperçois le bleu foncé d'un uniforme de vigile, surgi du côté droit.

Le type me fonce dessus, les bras écartés. Je me dérobe au dernier moment et lui glisse entre les mains – mes réflexes d'ex-*Wolverine* m'évitent de justesse le plaquage.

Je franchis le sas à fond de train et déboule sur un parking gigantesque. Des centaines de bagnoles, alignées dans toutes les directions. Je prends sur la gauche, au hasard. Mais je suis obligée de ralentir un peu plus loin, essoufflée et en nage.

Le sédatif du docteur Beller agit toujours sur mon organisme. Serrant les dents, j'essaie de maintenir un rythme de petite foulée.

Pas évident dans mon état. Je ne me suis jamais sentie aussi faiblarde. Maintenant, je sais ce que c'est de me trouver dans la peau de mon frangin.

Et ce fichu parking qui n'en finit pas...

Un 4x4 noir me dépasse en coup de vent et pile soudain en travers de mon chemin.

Coincée ! Je n'ai plus assez d'énergie pour me battre ou m'échapper.

La vitre teintée s'abaisse à moitié. Le chauffeur porte une casquette et des lunettes de soleil enveloppantes qui lui cachent la moitié supérieure du visage. Le col de son pull remonte jusqu'au menton pour dissimuler le cou. Un blouson informe complète cette panoplie.

– Monte, Véra. C'est ta seule chance.

Comme j'hésite, il ajoute :

– Enigma m'envoie. Je vais te conduire jusqu'à lui.

Il peut s'agir d'un piège. Une ruse du Conseiller. Ou pas. De toute façon, est-ce que j'ai le choix au point où j'en suis ?

J'obéis.

On démarre illico. Je m'accroche à la poignée pour ne pas valdinguer au moment de négocier le virage de sortie du parking sur les chapeaux de roues.

Des coups de klaxon éclatent quand le 4x4 s'impose au milieu du flot continu de la circulation. Mon sauveur n'y prête pas attention. Concentré sur la conduite, il se déporte sur la voie de gauche et écrase l'accélérateur.

Deux miles plus loin, un panneau indique la bretelle d'accès au centre-ville d'Albuquerque. Nous continuons tout droit, en direction des montagnes bordant les hauts plateaux du Nouveau-Mexique. Je ne suis pas aussi calée en géo que Théo, assez cependant pour comprendre que nous fonçons vers l'Arizona.

Le moment me paraît tout indiqué pour interroger le chauffeur.

– Où on va ?

– Je te l'ai dit.

– Non. Vous avez juste parlé d'Enigma.

Il ne dément pas. N'ajoute rien de plus. Bon, je suppose qu'il n'est pas du genre bavard. Je l'observe de plus près. Difficile de lui donner un âge précis avec son déguisement – il a même enfilé des gants. Sa voix, cependant, est douce et claire, celle d'une personne jeune ou simplement le signe qu'il n'a jamais fumé ou bu de mauvais whisky ! Sinon, taille mince et carrure moyenne. Bref, le parfait individu lambda.

Je tente malgré tout de lui tirer les vers du nez :

– Vous êtes tombé à pic. Sûrement pas un hasard.

Il se contente de secouer la tête.

OK. Puisqu'il veut la jouer comme ça...

Je cogite quelques instants, additionne deux et deux, puis j'expose mes conclusions :

– Vous saviez où me trouver. Parce que vous avez reçu le message d'alerte signalant ma fuite. Donc vous bossez à l'Institut. Quel rapport avec Enigma ?

Comme il reste longtemps silencieux, je crois d'abord qu'il refuse de répondre. Je sursaute quand il reprend la parole à mi-voix, toujours sans quitter la route des yeux.

– Ce pays est en guerre. En guerre économique avec le monde entier. Ses ennemis ne sont plus d'autres pays. Mais des entreprises assez puissantes pour faire jeu égal avec lui. Voire l'obliger à se plier à leurs règles. C'est le cas du groupe BEST. L'Institut Eagle lui appartient. Il s'en sert pour s'implanter sur le territoire américain. Les lois antitrust en vigueur aux États-Unis lui interdiraient sinon d'exercer la plupart de ses activités. BEST a donc besoin d'un moyen de pression sur la Maison-Blanche, pour l'inciter à modifier la législation. Enigma le lui fournit. Le gouvernement fédéral tremble à l'idée de voir ses plus sombres secrets jaillir à la lumière.

– Quoi ? La star des lanceurs d'alerte, le héros des libertés individuelles, est un employé de BEST ?

– C'est plus compliqué. Mais oui. On peut considérer qu'il travaille pour le groupe.

– Pour le Conseiller ?

Nouveau silence, plus bref.

– Oui.

Voilà qui m'en bouche un coin. Je me demande ce qu'en penserait Tom. Pourtant je préfère ne pas me torturer à son sujet. Pas trop, du moins. D'autant que j'ai d'autres questions à poser.

– Pourquoi Enigma veut-il m'aider ? Son patron risque de ne pas apprécier.

– Le Conseiller n'est pas son patron.

– Mais vous avez dit qu'il travaillait pour lui...

– Non. Pour BEST. Au départ. Le Conseiller est entré dans la danse après coup. Il n'a été que récemment placé à la direction de l'Institut... Écoute, il vaut mieux qu'Enigma t'explique la situation. D'accord ?

Traduction : sois sage et ferme-la. Je n'insiste donc pas.

Je me coule dans le fond de mon siège et baisse à demi les paupières pour faire croire que je m'assoupis. En fait, je m'arrange pour enregistrer le moindre détail de notre itinéraire.

Enigma ou pas, je compte bien fausser compagnie à mon sauveur dès que l'occasion se présentera !

Théo

Le colonel Paul Kelsey est curieusement moins impressionnant en réalité qu'à l'écran. Plus petit que je l'avais imaginé. Mais tout aussi impassible avec son visage taillé dans le roc, le teint hâlé, presque cuivré.

Sans son uniforme bardé de galons et de décorations, il ressemble à n'importe quel vieux chicano des États du Sud. Sa chemise brodée de roses aux épaules, sa cravate lacet, son jean, son Stetson et ses santiags achèvent de le fondre dans la population locale.

Il faut préciser que Santa Fe, capitale du Nouveau-Mexique, évoque un décor de western avec ses anciennes maisons en adobe de style espagnol parfaitement restaurées et ses nombreux monuments typiques d'une époque révolue.

Mais le colonel n'est pas venu jouer les touristes. Sitôt descendu de son hélicoptère, posé en plein désert à quelques miles du centre-ville, il a entrepris de nous briefer sur la situation.

Guère brillante, à vrai dire.

La moitié de son unité aux mains de l'ennemi – l'absence de cadavres dans la planque suggérant que Flynn et Jorge ont été capturés.

Le Pentagone et la CIA en état de crise depuis l'intrusion d'Enigma dans les serveurs prétendument les mieux protégés du pays et sa menace de divulgation des informations piratées.

Véra et Tom Luck toujours prisonniers de BEST – dans le meilleur des cas (c'est moi qui ajoute cette précision peu optimiste).

– Et pour couronner le tout, complète Kelsey, tu impliques un couple de paisibles retraités dans cette affaire.

J'encaisse le reproche.

– Les Cunningham sont hors de danger à présent, tempère le major Lee. Théo a fait preuve d'un grand sens de l'initiative en échappant aux tueurs par ses propres moyens. Nous l'aurions perdu s'il ne s'était pas montré si réactif.

Le colonel ne bronche pas. À peine si sa moustache poivre et sel frémit.

– Notre dispositif de sécurité a failli, admet-il. J'ignore comment BEST a découvert la planque de Dallas, mais la NSA a mis une équipe d'analystes sur le coup. J'attends son rapport. Bref, examinons les options qui nous restent.

Il s'interrompt le temps que la serveuse remplisse à nouveau nos tasses de café. Nous avons investi une petite cantina située à deux pas du palais du gouverneur et fréquentée autant par les visiteurs que les autochtones en ce milieu de journée ensoleillée.

– Impossible de conduire Théo à une autre de nos planques tant que nous ne savons pas ce qui s'est passé au Texas, reprend Kelsey. Partons du principe que BEST en connaît les emplacements. C'est pourquoi désormais vous ne devrez plus vous séparer sous aucun prétexte, tous les deux.

J'accueille cette décision plutôt favorablement. Et peut-être de manière trop ostensible à en juger par le sourire en coin du major. Je replonge aussitôt le nez dans ma part de tarte aux noix de pécan, le rouge aux joues.

– Et pour mon père et ma sœur ? marmonné-je. Vous comptez faire quoi ?

– Attendre.

– Mais...

– C'est la meilleure solution, Théo, m'assure le major tout en m'effleurant le poignet du bout des doigts.

J'ai l'impression de recevoir une décharge électrique. Un instant, mes pensées se brouillent et je ne suis plus capable d'articuler le moindre mot. Toutefois cela ne dure pas. Très vite, je recouvre ma lucidité et la vérité m'apparaît avec évidence.

– Vous voulez que je serve d'appât. Vous savez que les hommes de BEST frapperont à nouveau. C'est pour ça que nous sommes restés au Nouveau-Mexique. Alors que vous auriez pu m'évacuer dans votre hélicoptère et me mettre en sécurité très loin d'ici.

– Fuir n'est plus une option envisageable, confirme Kelsey.

Le *Star-Spangled Banner*[1], dans sa version torturée à l'électricité par Jimi Hendrix, retentit soudain du fond de sa poche de chemise. Le colonel en sort un téléphone portable et annonce après un coup d'œil sur le message reçu :

– Un certain Sam Fowley a appelé le bureau central de la NSA. Il a cherché à vous joindre, major. Il prétend avoir des informations urgentes à communiquer au sujet de Véra Luck.

1. *La Bannière étoilée*, hymne national américain.

Véra

– On est arrivés. Tu peux arrêter de faire semblant de dormir.

Je croyais avoir berné mon chauffeur. Je me trompais.

Le 4x4 a quitté l'autoroute depuis environ une heure, peu après avoir franchi la frontière avec l'Arizona. Il a ensuite emprunté une succession de voies de plus en plus étroites, pour finir par suivre un bête chemin de terre battue et de caillasse en plein désert.

Jusqu'à cette minuscule carrière encaissée à l'ombre d'un rocher et ce vieux chalet qui feraient un décor idéal pour un film d'horreur – typiquement le genre d'endroit où un groupe de citadins paumés rencontrent des ploucs dégénérés, spécialistes du maniement de la tronçonneuse.

– Charmant.

Mon sauveur ne relève pas l'ironie. Ou alors il s'en fiche.

– On ne risque rien ici. Personne ne connaît l'existence de ce refuge.

Nous grimpons les marches du perron. Je remarque la petite caméra en forme de boule accrochée sous le plafond de la véranda. Plutôt inhabituel pour une simple baraque de planches. Mais ce n'est pas le plus étrange.

Un boîtier métallique remplace la serrure. Une fois ouvert, il révèle une surface lisse où se dessine le contour d'une main aux doigts écartés. Mon guide y applique sa paume.

– Scanner digital et palmaire, explique-t-il. Pour désactiver les défenses. Si quiconque s'avise de forcer cette porte ou une fenêtre sans avoir pris cette précaution, le système d'autodestruction s'enclenche. Il est irréversible.

– Et vous êtes le seul à pouvoir désamorcer le bidule.

Hochement de tête de confirmation. Bienvenue chez le roi des paranos !

L'intérieur du chalet craint moins que son aspect extérieur le laisse supposer. Pas de toiles d'araignées ni de couche de poussière, aucun trophée de gibier au-dessus de la cheminée ou de piège à mâchoire au mur. Mais une cuisine et un salon proprets d'un côté de la grande pièce, un bureau et un atelier de l'autre. Ces derniers encombrés de matériel électronique, débordant des étagères murales, étalé sur le plancher et la table de travail. Des écrans en veille émergent au milieu d'un fatras de câbles, de centaines de loupiotes clignotantes ou au repos, de claviers et de grosses valises en ferraille qui m'évoquent vaguement des tours d'ordinateur ancienne génération.

– Super la déco. Ça vous sert à quoi ce bazar ?

– Je te présente Enigma, Véra.

– C'est une blague ?

On dirait bien que non. En m'approchant, je remarque une plaque métallique gravée d'un E majuscule, vissée sur chacune des valises.

– Il s'agit du prototype. La version 1.0, si tu préfères, quasiment un dinosaure comparée à celle installée aujourd'hui dans les labos de l'Institut. Je lui ai emprunté mon pseudo de lanceur d'alerte.

– Votre pseudo... Alors vous êtes...

Abasourdie, j'ai du mal à terminer ma phrase. Mon sauveur n'est autre que l'individu le plus recherché par les différentes agences de notre gouvernement, celui qui fait trembler la présidence et menace l'équilibre du monde...

En un mot : Enigma !

Celui-ci hoche la tête pour confirmer l'évidence. Mille questions se bousculent dans la mienne, et la première à franchir mes lèvres concerne l'amas de ferraille de son repaire :

– Enigma est une machine ?

– Technologiquement, il serait plus juste de parler d'intelligence artificielle. Mais ses ancêtres étaient bel et bien de simples mécaniques.

– Ses ancêtres ?

– Les premières machines électriques à crypter l'information ont été construites par les Allemands dès les années vingt. On les appelait déjà Enigma. Pendant la Seconde Guerre mondiale, elles ont joué un rôle essentiel. Les spécialistes du chiffre anglais ont heureusement réussi à en casser les codes grâce aux travaux précurseurs de mathématiciens polonais. Ils ont fait croire aux nazis que les messages transmis après cryptage demeuraient inviolés afin qu'ils ne se doutent de rien. On estime avoir gagné deux années de guerre grâce à ce déchiffrement. Quand l'Institut Eagle a commencé à investir dans la recherche et le développement d'un programme capable d'absolument tout décrypter, le projet a repris le nom d'Enigma.

Je recoupe ces explications avec celles du Conseiller.

– Votre Enigma permet d'accéder à la totalité des données stockées partout dans le monde, dans toutes les mémoires d'ordinateur, même les mieux protégées.

– C'était le rôle de ce prototype, en effet. La nouvelle version va encore plus loin. Alimentée par les *big data*, elle est capable de pronostiquer le futur.

– Grâce à elle, BEST a pu fabriquer l'Oracle...

– Tout juste. Le programme était destiné au départ à anticiper les catastrophes sanitaires ou économiques. Mais le Conseiller a décidé de l'utiliser dans un autre but.

– Contrôler l'avenir du monde.

– Et placer ainsi le groupe BEST en position d'hégémonie incontestable. Qui pourra lui résister à partir du moment où il sera en mesure de devancer les manœuvres de ses adversaires ?

– Personne. Il imposera sa loi sur toute la planète. Comme dans le dernier manuscrit de mon père.

– *Futur en danger.*

– Comment vous connaissez ce titre ? Il n'est pas encore paru. Même pas achevé ! À moins que... Merde, que je suis bête ! Vous avez fourni à Tom les renseignements dont il avait besoin. Vous êtes sa source, le fameux hacker qui lui a prodigué des conseils... Dans quel but ? Vous n'avez sûrement pas agi pour l'amour de l'art et de la science-fiction ! Alors pour quoi ?

Enigma pousse un soupir que je n'hésiterais pas à qualifier de déchirant.

– Il y a tant de choses que tu ignores, Véra. Surtout à propos de ton père. Mais ce sera à lui de te les expliquer quand le moment se présentera.

Cette attitude commence sérieusement à m'agacer. Les derniers effets du sédatif de Beller ont dû se dissiper pendant le trajet depuis Albuquerque car je reprends du poil de la bête.

– J'en ai marre de ces mystères ! Pourquoi vous ne me dites rien ? À quoi bon me porter secours si vous gardez vos secrets ? Et d'abord, qui êtes-vous *vraiment* ? Pourquoi vous cachez-vous derrière ces lunettes et ce stupide col roulé ? Montrez donc un peu à quoi vous ressemblez si vous voulez que je vous fasse confiance !

– Puisque tu insistes, Véra.

Mon interlocuteur commence par retirer ses gants, révélant des mains plus fines que je ne le prévoyais. Puis c'est au tour de la casquette et des lunettes.

– Voilà. Tu es satisfaite ?

Ce n'est pas le mot que j'emploierais.

Plutôt surprise, ou mieux encore, stupéfaite.

Parce que le visage qui vient de m'apparaître ne m'est pas étranger.

J'en contemple la version rajeunie tous les ans à la même date.

Sur la photo incrustée à la plaque commémorative du crématorium.

Là où reposent les cendres de notre mère.

Théo

Les informations de Sam transmises par le bureau central de la NSA n'incitent pas à l'optimisme. Mais je sais que Véra est toujours en vie. Je jouerais la mienne sans une once d'hésitation sur cette certitude. J'en suis d'autant plus persuadé que je viens juste de ressentir une vive émotion, en écho à celle éprouvée par ma sœur. Peu importe la distance qui nous sépare. Lorsque l'un d'entre nous subit un choc – joie vive, grande tristesse, peur soudaine, etc. –, l'autre en est aussitôt averti.

Grâce à la description du camion donnée par Sam, une équipe de traque par satellite et caméra de surveillance des unités de police routière parvient à en repérer la trace en banlieue d'Albuquerque – soixante miles à vol d'oiseau de Santa Fe !

Ou plutôt d'hélicoptère. J'aurais préféré effectuer mon baptême de l'air dans d'autres circonstances. Mais Kelsey ne m'a pas laissé le choix.

Casqué et sanglé, coincé derrière le pilote à côté du major, je n'en profite pas moins d'une vue panoramique des plus splendides sur le Nouveau-Mexique baigné dans l'or du crépuscule.

Le soleil ressemble à une grosse orange floue posée en équilibre sur la crête des montagnes d'Arizona, là-bas vers l'ouest. J'ai beau savoir qu'il s'agit d'une étoile de type naine jaune composée d'hydrogène et d'hélium en fusion, l'image naïve de l'agrume céleste me parle davantage dans le cas présent.

Mieux encore : quelques minutes après le décollage, je prends conscience de n'avoir pas eu besoin d'invoquer le mantra des superterres pour lutter contre l'angoisse. Une victoire modeste, mais une victoire quand même...

– Le camion a été filmé pour la dernière fois alors qu'il s'engageait sur la voie de sortie conduisant à ce parc d'activités, indique le colonel en présentant une vue aérienne sur l'écran de son smartphone. Il n'en est pas ressorti.

– C'est gigantesque ! m'exclamé-je. Une vraie ville ! Comment va-t-on retrouver Véra ?

– Chaque chose en son temps. Voyons déjà qui occupe le terrain.

Les pouces du colonel volent sur le clavier tactile avec une dextérité surprenante pour un homme né à l'époque des téléphones à cadran et des opératrices longue distance. Il ne tarde pas à nous divulguer le résultat de sa recherche.

– Tout appartient à l'Institut Eagle. Une véritable usine à grosses têtes. La plus forte densité de doctorats de tout le Sud des États-Unis. Financé par des dons privés anonymes. La parfaite couverture pour BEST. Je suis sûr qu'on remonterait jusqu'au groupe si on prenait le temps de démêler l'écheveau des compagnies écrans inscrites sur la liste des généreux donateurs. On se demandait depuis longtemps de quelle façon il s'était implanté sur notre territoire. Nous avons enfin trouvé la réponse !

Pour la première fois, Kelsey affiche une expression de pure satisfaction qui le rajeunit d'au moins vingt ans – son large sourire dévoile des dents d'une parfaite blancheur et lisse la plupart des rides de ses joues.

Le pilote nous signale l'approche de l'objectif. Albuquerque forme une tache grise sur le fond ocre du désert, qui grossit à vue d'œil.

Nous survolons bientôt le parc de l'Institut en traçant de larges cercles dans l'air surchauffé de cette fin d'après-midi d'été.

J'essaie de me concentrer pour envoyer un message à Véra – tiens bon, la cavalerie arrive ! Sauf que je parviens juste à me flanquer la migraine et le tournis, séquelles du mal de l'air, en fermant les yeux trop longtemps.

– Là, lance le major Lee en pointant l'index sur un des bâtiments. Les 4x4 noirs. Ils ressemblent à ceux qui te pourchassaient, Théo. Ils foncent vers l'autoroute. Très pressés, apparemment.

Kelsey braque aussitôt une paire de jumelles sur les trois véhicules en question.

– Prenez de l'altitude pour éviter qu'ils nous repèrent, ordonne-t-il au pilote. Mais gardez un contact visuel.

– Vous croyez que Véra se trouve à bord ? demandé-je, une note d'anxiété dans la voix.

– Possible. Quoi qu'il en soit, l'expérience nous a appris que ces gars-là ne se déplacent pas sans un sérieux motif. Surtout à une pareille vitesse.

– Vous permettez ?

Je lui arrache les jumelles des mains sans attendre sa réponse. Évidemment, je n'aperçois rien de précis – à peine si je parviens à accommoder sur l'un des tout-terrain.

– Ils se dirigent vers l'Arizona, précise le pilote. S'ils s'enfoncent trop loin dans le désert, je devrai décrocher avant de manquer de carburant pour le retour à la base.

– Négatif, tranche Kelsey. On ne les lâche pas. Quitte à rentrer à pied s'il le faut.

Je perçois le soupir résigné du pilote dans mon casque.

Nous gagnons encore de l'altitude et faisons à présent face au disque solaire, qui commence à s'écraser mollement sur la ligne dentelée de l'horizon. Peu à peu, l'astre prend des allures de jaune d'œuf crevé, diluant ses ors à la pourpre du ciel – autrement dit, il se couche tandis que la nuit s'installe.

Une couverture d'ombre s'étend sur le désert. Grâce aux phares des voitures, l'autoroute nous apparaît désormais comme un mince ruban lumineux étiré dans le fond d'une vallée rocheuse.

– Ça devient difficile, se plaint le pilote.

– Au contraire, dit le major. Regardez, ils quittent l'autoroute. Et personne d'autre ne circule sur cette voie secondaire. Impossible de les perdre.

En effet, trois petits points brillants se poursuivent en file indienne sur un tracé de plus en plus sinueux, plusieurs centaines de pieds sous le ventre de l'hélico.

– Je me demande où ils vont, s'interroge à voix haute le colonel en manipulant son smartphone. Il n'y a rien dans les parages. Ce chemin conduit au parc national de *Petrified Forest*.

La forêt pétrifiée – des milliers et des milliers de troncs d'arbres fossilisés, littéralement transformés en pierre et en sable depuis des millions d'années. Un paysage de fin du monde, pas vraiment de bon augure.

Mais je garde pour moi mes réflexions.

Le soleil a maintenant disparu complètement. D'autres étoiles, beaucoup plus lointaines et même mortes depuis longtemps pour certaines, s'allument dans l'espace. J'ai toujours été fasciné par l'idée que nous contemplons chaque nuit les fantômes d'astres inaccessibles, dont la lumière a parcouru des milliards de parsecs[1] avant d'embellir nos nuits…

– Où sont-ils passés ? s'écrie soudain le pilote. Je ne vois plus rien !

1. Unité de longueur utilisée en astronomie et équivalant à 3,2616 années-lumière.

– Ils ont éteint leurs phares, dit Kelsey. Ils doivent être équipés de lunettes à vision infrarouge. Ce qui signifie qu'ils sont en phase d'approche finale de leur objectif. Et que la prochaine étape de l'opération sera certainement l'assaut.

Véra

Comment est-on censé réagir quand on découvre qu'une partie de son existence repose sur un énorme mensonge ?

Pire : une douloureuse trahison.

La plupart des gens craqueraient – physiquement et psychologiquement. Leur univers s'écroulerait, ses fondations sapées.

Moi, je cède à la colère.

Une colère froide, différente de celle qui m'anime quand je cogne sur mon sac de sable, le soir, pour me défouler.

Cette colère-là remonte de très loin, du fin fond de l'âme au moins.

– Comment as-tu osé nous faire croire que tu étais morte ?

Je ne reconnais pas ma propre voix. Figée, les poings serrés pour contenir le tremblement de mes mains, je fixe droit dans les yeux l'étrangère qui se prétend ma mère.

Pas une seule fois elle ne détourne le regard.

– On ne m'a pas laissé le choix, dit-elle. Il fallait que je disparaisse de vos vies, pour votre bien à tous, ton père, ton frère et toi.

– Je ne pige pas.

– C'est une longue histoire, Véra. Et le temps nous est compté...

J'explose soudain, laissant cours au bouillonnement de rage dans mon cœur et dans ma tête.

– Tu ne vas pas t'en tirer si facilement ! Tu te rends compte du mal que tu nous as fait ? Tom ne s'est jamais remis de ta disparition et Théo n'a pas pu grandir normalement sans toi. Et ta seule excuse c'est que tu n'as pas eu le choix ! Franchement, ça craint... C'est nul, minable même !

– Tu as le droit de m'en vouloir. Mais je pense que tu es en âge de comprendre, à défaut de pardonner. C'est vraiment une longue histoire, qui remonte avant l'époque de votre naissance, à Théo et à toi. Dans ma jeunesse, j'étais une chercheuse très ambitieuse. Je venais de décrocher mon doctorat au MIT[1]. J'avais déjà quelques beaux faits d'armes à mon actif. À l'aide de programmes expérimentaux, je m'étais introduite dans les ordinateurs de plusieurs services gouvernementaux, sans rien détruire ou voler, juste pour exposer les faiblesses de leurs systèmes de protection. Mes exploits ont attiré l'attention des recruteurs du groupe BEST. Ils m'ont offert une petite fortune et des conditions de travail idéales

1. Massachusetts Institute of Technology, situé à Cambridge, près de Boston.

pour me convaincre de venir travailler pour eux, en Europe. En contrepartie, je devais céder les brevets de mes premières découvertes et garantir la plus totale confidentialité. Ce que j'ai accepté sans discuter. J'étais jeune et naïve. De plus, quel ingénieur aurait résisté à une telle proposition ? Mes superordinateurs du MIT me paraissaient des dinosaures en comparaison de ceux du groupe. Et ils étaient déjà un million de fois plus performants que la meilleure bécane proposée dans le commerce. Non, il était impossible de rejeter une offre pareille.

Elle s'interrompt quelques instants, consulte sa montre et les écrans dispersés dans le fatras électronique du prototype Enigma. Puis reprend :

– J'ai rencontré Tom quelques mois plus tard, alors que je participais à un séminaire en Angleterre. On s'est plu immédiatement. Je n'avais pas eu beaucoup d'aventures avant lui. Il a su trouver les mots pour me séduire. Normal, pour un écrivain, je suppose. J'ai vraiment eu l'impression de rencontrer mon âme sœur. Je suis aussitôt tombée amoureuse. Avant la fin de l'année, on était mariés. J'étais déjà enceinte depuis plusieurs semaines.

Elle semble hésiter à poursuivre et marque une nouvelle pause.

– Et alors ? je m'impatiente. Il s'est passé quoi ?

– Une enquête interne du groupe BEST, avoue-t-elle finalement. Qui m'a révélé à quel point j'avais été bernée par celui que j'aimais.

– Dad ?

– Tom Luck n'est pas celui qu'il prétend depuis toutes ces années. Ce n'est même pas son vrai nom. Il s'est servi de moi, j'en ai eu la preuve incontestable. Le groupe voulait l'éliminer mais j'ai réussi à obtenir sa grâce parce que je n'avais pas cessé de l'aimer malgré tout. En contrepartie, le groupe a exigé que je me sépare de Théo et toi. Il vous a expédiés outre-Atlantique avec votre père et de nouvelles identités. Un spécialiste s'est chargé de tout régler. C'est comme ça que j'ai rencontré le Conseiller. À cette époque, il s'occupait de la sécurité du personnel européen. Du moins c'était son titre officiel. En réalité, il arrangeait les coups tordus pour le bien de l'entreprise. Il a tout organisé à la clinique, avec la complicité des médecins. Mon décès, la substitution de cadavres, l'incinération... J'étais vraiment convaincue d'agir pour le mieux. Oh, Véra, j'aimerais tant te persuader de ma sincérité...

Un signal d'alarme retentit soudain.

Ma mère se précipite sur un des écrans, me plantant au milieu de la pièce avec des milliers de questions, à son sujet comme à celui de Tom – pas son vrai nom ?

– Ils n'ont pas traîné, dit-elle une fois l'alarme coupée.

– Qui ?

– Les hommes du Conseiller, bien sûr. Je pensais qu'on disposerait d'un peu plus de temps...

Elle se retourne vers moi et m'attrape les mains. Me les serre fort entre les siennes.

– Je regrette la façon dont les choses se sont déroulées. Il est trop tard pour y changer quoi que ce soit. On va être encore séparées, Véra. Écoute-moi attentivement et ne m'interromps plus, je t'en prie. L'Enigma de l'Institut Eagle ne peut fonctionner que si on le déverrouille avec les bons codes. Ils changent plusieurs fois par seconde. Sans le programme spécial de décryptage que j'ai élaboré, les systèmes de sécurité sont conçus pour détruire la machine. Avant de quitter l'Institut, j'ai effacé ce programme. Mais j'en avais mis une copie en lieu sûr.

– Où ça ?

Ma mère approche ses lèvres de mon oreille. Des coups résonnent à la porte. Une fenêtre vole en éclats au passage d'une bombe fumigène.

Un tas de lumières clignotent soudain sur les consoles du prototype Enigma tandis qu'une voix de synthèse s'élève pour annoncer :

« *Intrusion détectée. Système de défense en alerte. Autodestruction enclenchée. Explosion dans dix secondes...* »

Théo

– Quels sont vos ordres, colonel ? interroge le pilote. Je n'aurai bientôt plus assez de carburant pour regagner la base et…

Une gerbe de feu jaillit soudain du plateau aux arbres pétrifiés, presque à la verticale de l'hélico. Un roulement de tonnerre suit avec un léger décalage.

L'appareil se met à tanguer. Je m'accroche au siège devant moi, une bordée de jurons dans les oreilles – ceux du pilote, du colonel et du major mélangés.

– Posez-vous ! ordonne Kelsey.

Quelque chose brûle sous nos pieds. La lueur des flammes suffit à éclairer le site. Une sorte de carrière, creusée à flanc de rocher.

L'hélico stabilisé, nous nous rapprochons du sol avec ce qui me paraît une lenteur exaspérante. Je pense à Véra chaque seconde, incapable de détourner les yeux de l'incendie. Un bouillonnement d'émotions m'empêche de réfléchir posément. L'écho de tout ce qu'a pu ressentir ma sœur avant l'explosion, un mélange de colère et de surprise qui me serre le cœur…

Je parviens à distinguer plusieurs silhouettes allongées à proximité des décombres d'une petite construction dont il ne reste quasiment rien sinon de vagues fondations.

– Tu ne bouges pas d'ici, Théo, commande le major Lee alors que le colonel a déjà fait coulisser la porte de son côté et se tient debout sur le patin, un imposant pistolet en main.

Kelsey saute juste avant l'atterrissage. Le major l'imite un instant plus tard. Ils se fondent aussitôt dans les ténèbres autour du brasier.

Ignorant les objurgations du pilote, j'arrache mon casque, détache ma ceinture et je me précipite à mon tour hors de l'habitacle.

Ma basket ripe sur le roc. Je tombe en avant et m'érafle les paumes en me réceptionnant. Mon front évite de justesse un gros caillou aux arêtes vives, peut-être un des fameux troncs fossilisés...

Plusieurs rafales éclatent aux alentours. J'entends les balles siffler au-dessus de ma tête. Si je ne m'étais pas piteusement étalé, j'aurais été haché menu par les tirs.

L'ancien Théo resterait là, tapi le nez dans la poussière dans l'attente du retour au calme, en se récitant la liste des superterres.

Pas moi. Tant pis pour le danger. Véra est tout près, je peux sentir sa présence, comme une évidence.

Je me relève et m'élance en direction du feu, courant le dos courbé, scrutant les environs, évitant les corps recroquevillés des hommes en noir fauchés par l'explosion, tandis que crépitent d'autres séries de détonations...

– Théo ! Baisse-toi, idiot !

Le major Lee surgit de nulle part en vidant un chargeur sur une cible invisible, derrière moi.

Je continue d'avancer droit sur les flammes qui se tordent en grondant sur un amas de planches et de poutres brisées.

Véra est là. Je le sais. Sous les ruines incandescentes de cette maudite baraque.

J'ignore la peur, le danger, la voix de la raison qui me hurle de revenir à l'hélicoptère, celle du major Lee qui m'escorte à présent et s'interpose entre les tueurs dissimulés dans l'obscurité et moi.

Véra est là, rien d'autre ne compte, pas même ma propre vie. Si j'étais coincé là-dessous, je sais qu'elle ne reculerait pas.

Je me heurte à un mur de chaleur.

Encore un pas, il le faut, pour Véra !

Des ombres s'agitent à la périphérie de mon champ de vision.

Les pistolets du major éloignent les assaillants. L'écho des coups de feu m'assourdit. J'empoigne une plaque de tôle brûlante et la dégage de mon chemin en hurlant le prénom de ma sœur.

Je suis prêt à me jeter dans la fournaise mais le major m'en empêche au dernier moment.

Laissant tomber ses armes, elle plaque ses paumes contre mes joues, approche son visage assez près du mien pour que je puisse lire sur ses lèvres la supplique qu'elle m'adresse :

– Véra n'aurait pas voulu que tu te sacrifies. Viens, retournons à l'hélico.

L'ancien Théo ne lui aurait pas résisté.

Moi, si.

Je la repousse et m'apprête à franchir le rideau de flammes quand j'aperçois l'un des tueurs qui titube, une vingtaine de pas plus loin, un fusil d'assaut pendu à bout de bras.

Je comprends en une fraction de seconde que le major n'aura pas le temps de récupérer ses pistolets et de faire volte-face.

J'arrête de penser.

Ma main se glisse dans la poche de mon short et en retire le revolver offert par Frank Cunningham.

Sans me poser aucune question, je le pointe en direction de l'homme en noir et j'appuie sur la détente.

Une fois, deux fois, trois fois.

Puis je m'effondre en tremblant dans les bras du major tandis que ma cible vacille, tournoie sur elle-même et s'affale.

C'est alors que j'entends la voix de ma sœur, faible, lointaine, comme étouffée. Mais ce n'est pas moi qu'elle appelle à son secours !

– Véra… Vé… Ra…

J'ai encore le temps de prononcer son prénom une troisième fois avant de m'évanouir.

Véra

Le fumigène m'aveugle et m'empêche de respirer normalement. Mais il ne me rend pas sourde et j'entends distinctement une voix de synthèse énumérer le compte à rebours avant la destruction du chalet.

Neuf, huit...

Ma mère m'agrippe par le poignet.

Sept...

M'oblige à m'agenouiller.

Six...

Une poussée dans le dos.

Cinq...

Je bascule en avant.

Quatre...

Je tombe. Crie.

Trois...

Un claquement. Le silence. Le choc, pas si brutal – tout en même temps.

Puis l'enfer se déchaîne au-dessus de moi. Un vacarme effroyable me vrille les tympans. Heureusement, ça ne dure pas.

Désorientée, je rampe dans une obscurité totale sur une surface moelleuse et rembourrée, qui me rappelle les gros tapis du gymnase, au bahut, utilisés pour amortir les chutes.

Je me heurte vite à quatre murs capitonnés. Pas d'autre issue que la trappe, quelques mètres au-dessus de ma tête, par laquelle ma mère m'a balancée juste avant l'explosion.

Pour me sauver la vie.

Mais où est-elle passée ?

Je l'appelle de toutes mes forces, obligée d'utiliser son pseudo – je ne connais même pas son prénom !

– Enigma ! Ohé ! Enigma !

Aucune réponse. Comment cela serait-il possible ?

Elle m'avait avertie : nous serions encore séparées.

Avait-elle prévu ce qui allait se produire ? Et accepté finalement de se sacrifier avec la machine dont elle a adopté le nom pour ne pas retomber entre les griffes de BEST et du Conseiller ?

J'avais encore tant de questions à te poser, *maman*…

C'est trop tard maintenant. Il va falloir me débrouiller seule pour éclairer les zones d'ombre qui planent sur mon existence – sur celle de Théo aussi, et celle de Tom.

D'abord, je dois me sortir de ce trou. Il y a forcément un moyen qui m'aura échappé. Une échelle, un tunnel, dissimulés quelque part, une sortie de secours. Mais j'ai beau tâtonner avec minutie en tous sens, je ne trouve rien.

Au moment où la panique commence à m'envahir, je perçois le crépitement étouffé de tirs en rafale.

On se bat, là-haut, dans la carrière, autour des ruines du chalet. Pas besoin d'être un génie pour deviner qui affronte les hommes du Conseiller.

Profitant d'un répit dans l'échange de coups de feu, je hurle aussi fort que je peux :

– Je suis là ! Major Lee, vous m'entendez ? Major !

Je m'apprête à lancer un deuxième appel quand la trappe se soulève, découpant un rectangle de lumière orangée au-dessus de ma tête.

Un vieux type moustachu, le visage buriné, se penche, le bras tendu. Des flammes dansent dans son dos.

– Tu vas te décider, oui ou non ? ronchonne-t-il sur un ton autoritaire. Il fait une chaleur à crever ici !

Je crochète mon avant-bras au sien. Il me hisse avec une aisance surprenante – drôlement costaud !

Sitôt le pied posé au niveau du sol, il m'entraîne dans les décombres du chalet, zigzaguant à travers les langues de feu qui cherchent à nous happer. Une manche de sa chemise brodée style western s'embrase à un moment. Il se contente de secouer le bras et ne ralentit même pas. Une fois sorti du brasier, il arrache le lambeau de tissu calciné, toujours imperturbable.

– Vous êtes qui, vous ? je lui demande.

– De rien, renvoie-t-il avec un clin d'œil. Ah, désolé, je croyais que tu me remerciais.

En plus, il se fout de moi !

– Dépêche-toi, reprend-il plus sérieusement. À moins que tu ne souhaites passer la nuit chez les *rangers*, qui ne vont pas tarder à rappliquer...

– Minute. Il y avait quelqu'un dans le chalet quand il a explosé.

Le vieux cow-boy me dévisage.

– Négatif. J'ai fouillé le site. Aucun corps à signaler, excepté les guignols dispersés alentour.

Je remarque alors les cadavres des hommes en noir, étendus dans la poussière.

– Impossible, j'insiste.

Et pourtant…

Des sirènes à deux tons s'élèvent au loin. Des lueurs de gyrophare illuminent le désert de rocaille. Les *rangers* seront là dans une ou deux minutes. Peut-être m'aideront-ils à retrouver la trace de ma mère…

– Viens, dit le vieux type. Ton frère t'attend dans l'hélicoptère avec le major Lee.

Théo ? Tant pis pour Enigma.

J'arrive, bro !

Théo

J'entends d'abord sa voix :

– Ça y est ! Il revient à lui !

Puis celle du major Lee :

– Doucement, laisse-le émerger…

– Je n'ai pas besoin de vos conseils, OK ?

Véra. Ma sœur. Fidèle à sa nature.

J'ouvre les yeux et je les vois qui se font face, le major et elle, de chaque côté du lit dans lequel je repose, seulement vêtu d'une chemise de nuit en papier, comme dans n'importe quelle clinique.

– J'ai raté quelque chose ?

Leurs visages se tournent vers moi dans le même mouvement. Deux expressions de soulagement quasiment identiques accueillent mon retour à la conscience.

– Tu m'as fichu une sacrée trouille, bro ! J'ai bien cru que tu ne sortirais pas du coma, espèce de crétin ! Ne me refais jamais un coup pareil, Théo Luck !

– Je devrais t'en vouloir de m'avoir caché une arme, mais puisque tu m'as sauvé la vie, je vais passer l'éponge. Merci, Théo Luck !

Elles ont parlé en même temps. L'effet stéréoscopique est assez déstabilisant. Surtout quand elles prononcent toutes les deux mon nom.

Je sens un sourire étirer mes lèvres.

– Qu'est-ce qu'il y a de drôle ? s'étonnent-elles à nouveau de concert.

– Rien, préféré-je mentir.

Le colonel Kelsey entre alors dans la chambre sans s'annoncer. Il a troqué sa tenue western contre un costume aux teintes beiges d'une parfaite neutralité.

Nous échangeons un bref salut, puis je lui demande :

– Où sommes-nous ?

Je n'aperçois qu'une bande de ciel bleu à travers l'unique fenêtre, ainsi qu'un lambeau de nuage blanc.

– Dans le Nevada, m'informe l'officier. Après ton évanouissement, on t'a transporté dans un établissement public de Vegas.

Las Vegas ! La ville du péché pour les uns, la ville sans horloge pour les autres – car rien dans les casinos ne doit rappeler aux joueurs que le temps passe, au risque de les perturber et les empêcher de continuer à perdre leur argent.

– J'ai de mauvaises nouvelles, poursuit Kelsey à l'intention générale. Le FBI a perquisitionné les locaux de l'Institut Eagle ce matin. Aucune trace du nouvel Enigma, ni du Conseiller. Et personne là-bas n'a été capable de donner son nom ou de le reconnaître d'après son signalement ! À croire qu'ils ont été dirigés par un fantôme pendant toutes ces années... Les hommes de main du groupe BEST ont tous levé le camp cette nuit en emmenant votre père, les jumeaux. Je suis navré.

– La recherche satellite n'a rien donné ? interroge le major Lee.

– Négatif. Nous ignorons quel véhicule ils ont utilisé. Pas le camion d'hier, on l'a retrouvé sur place, ou plutôt ce qu'il en restait, complètement carbonisé. À part coller une amende pour émission de particules polluantes aux responsables officiels de l'Institut, on ne peut rien faire.

– Ils ne vont quand même pas s'en tirer si facilement ! protesté-je, indigné. Vous savez qu'ils ont enlevé Tom et tenté de nous assassiner...

– Où sont les preuves ? me coupe Kelsey. Le témoignage de ta sœur ne suffit pas.

Je m'attends à ce que Véra joigne sa voix à la mienne, mais elle reste curieusement sur sa réserve. Ce qui ne lui ressemble guère, est-il besoin de le préciser ?

Je sens bien qu'elle n'est pas dans son état normal. Je mets ça sur le compte des épreuves subies ces dernières heures.

– Nous avons momentanément réussi à empêcher BEST d'exploiter les performances du programme Enigma, reprend le colonel. Ce n'est hélas que partie remise. Dès que le Conseiller aura trouvé un lieu sûr où réinstaller la machine, il constituera à nouveau une sérieuse menace pour l'avenir de notre pays, et même du monde.

Il ajoute après une brève pause, l'air chagriné :

– Vos vies resteront menacées, les jumeaux.

Comme Véra ne se décide toujours pas à prendre la parole, je demande :

– Qu'est-ce que vous proposez ?

– Un changement de stratégie. J'ai besoin d'en discuter avec le major. On va vous laisser un peu d'intimité. Je suis sûr que vous avez beaucoup de choses à vous raconter, tous les deux !

Véra

– Pfou, pas trop tôt ! Je me demandais quand ils allaient nous lâcher les baskets, Barbie et son Bruce Willis à deux balles !

Théo me regarde comme s'il venait de me pousser une barbe ou une paire de cornes sur le front.

– Bruce Willis ? Qu'est-ce qu'il vient faire ici, celui-là ?

– Laisse tomber, bro. Tu peux marcher ?

– Euh, oui.

– Alors bouge tes fesses. On s'arrache.

– Mais pourquoi ?

Je soupire.

– Kelsey ne bougera pas le petit doigt pour sauver Tom. Tu l'as entendu. Il veut juste empêcher BEST d'utiliser Enigma. Et sûrement récupérer la machine pour le compte de la NSA, tout comme il a déjà essayé de s'emparer de l'Oracle dans les Badlands. Notre mère m'a mise en garde...

– Notre mère ? Qu'est-ce que tu racontes ?

– Chut, pas si fort ! Je te raconterai tout en route. Fais-moi confiance. Tu arriveras à te lever ?

Théo s'exécute sans plus discuter. Parfait.

– Enfile tes fringues en vitesse.

J'entrouvre la porte et je jette un coup d'œil dans le couloir. Bruce et Barbie discutent plus loin devant l'ascenseur, dos tourné. Une aussi belle occasion ne se présentera pas de sitôt.

J'attrape la main de Théo et nous nous carapatons dans la direction opposée.

Après un détour, le couloir se prolonge jusqu'à l'aile des urgences. Nous franchissons plusieurs sas, descendons une volée de marches, et nous voilà devant l'accueil, dans un hall plutôt animé. L'odeur du sang se mêle à celles de la sueur et de l'alcool. Beaucoup de gens mal en point crient et s'engueulent sous l'œil d'infirmières blasées.

La magie de Vegas, du côté des perdants.

Personne ne tente de nous arrêter quand nous sortons. Pas même les vigiles, sûrement payés pour interdire l'entrée aux indésirables et pas l'inverse.

Nous remontons la file d'ambulances et de voitures jusqu'à la rue, sous un soleil de plomb. Une fois sur le trottoir, Théo refuse soudain d'avancer.

– Et maintenant, exige-t-il, tu vas m'expliquer ce délire avec notre mère.

Puisqu'il y tient...

– Elle n'est pas morte.

– Tu te fiches de moi ?

Il sait évidemment que je ne plaisante pas – il le sent. Mais je ne peux pas lui en vouloir de poser la question.

– Elle était avec moi cette nuit.

– Et tu n'en as pas parlé au colonel ? Pourquoi ?

– J'ai mes raisons.

Je n'ai pas envie d'en discuter sur un trottoir de Vegas, en plein cagnard. Et surtout pas avant d'avoir mis plusieurs centaines de miles entre Bruce, Barbie et nous.

À ce propos…

Les services d'urgence peuvent offrir certains avantages aux fugitifs. Les gens y débarquent le plus souvent en catastrophe et abandonnent leur véhicule, moteur tournant, près de l'entrée.

La dernière bagnole de la file n'est pas exactement un modèle récent, ni très discret. Au moins elle a le mérite de m'éviter à chercher plus loin un moyen de nous tirer d'ici en quatrième vitesse.

Et puis je n'ai jamais conduit de Cadillac décapotable.

Je saute derrière le volant et j'enclenche la marche arrière. Théo reste planté quelques instants sur le bitume brûlant avant de réagir. Je vois bien qu'il est perturbé. J'aimerais tant le rassurer, prétendre qu'on va s'en sortir indemnes, retrouver Tom et reprendre notre vie d'avant. Seulement ce serait un énorme mensonge.

Comme tout ce à quoi nous avons cru depuis bientôt seize ans.

Je fais vrombir le V8 de la Cadi en remontant le Strip – le grand boulevard qui coupe Vegas en deux et le long duquel s'alignent les principaux casinos.

Moins de cinq minutes plus tard, nous fonçons sur l'autoroute 15 en direction de l'Utah.

Théo

Déroulez une carte des États-Unis.

Repérez Las Vegas, Nevada, à gauche, près de la Californie.

Tracez à partir de là une diagonale en direction du nord-ouest à travers l'Utah et le Wyoming.

Où arrivez-vous ?

Précisément dans le Dakota du Sud, plus exactement dans le parc des Badlands.

À vitesse moyenne et constante, à peu près seize heures de route.

Sauf si vous roulez à bord d'une voiture volée et voyante, de surcroît des plus gourmandes, qui vous oblige à plusieurs arrêts à la pompe. Par un heureux concours de circonstances, le propriétaire de la Cadillac a eu l'extrême courtoisie d'oublier plusieurs cartes de crédit dans le vide-poches.

Lorsqu'en plus votre chauffeur n'a pas dormi depuis une éternité et multiplie les pauses-café, vous pouvez vous estimer chanceux de parvenir à destination avec à peine un léger retard, au petit matin du jour suivant votre départ.

Trop chanceux même.

Mais lorsque j'informe Véra de mes conclusions, elle me rétorque sur un ton bougon :

– Il serait enfin temps que la chance nous sourie, tu crois pas ? Qu'on mérite notre nom, même s'il est bidon.

Je ne trouve rien à répliquer. Durant les heures qui viennent de s'écouler, Véra a eu tout le temps de me révéler ce que sa virée entre Albuquerque et la forêt pétrifiée lui a permis de découvrir – notre mère est vivante, Enigma et elle ne font qu'un, Tom Luck n'est pas Tom Luck…

Pour ma part, j'ai eu du mal à lui avouer avoir été contraint de tirer sur quelqu'un. Je ne me suis pas senti vraiment soulagé après.

– Tu as neutralisé un affreux qui voulait éliminer Barbie, a tenté de me rassurer Véra. Après, ça aurait été ton tour. Et puis, rien ne dit que tu l'as tué. Tu n'es pas allé vérifier, hein ? Doué comme tu l'es, je suis sûre que tu lui as juste tiré dans l'épaule ou dans le bras. Alors pas de quoi culpabiliser, bro.

N'empêche, un peu. Un peu beaucoup…

Mais je ravale mes remords car, après avoir doublé Rapid City, nous nous engageons sur la route du parc et ne tardons pas à apercevoir le chalet que nous avons quitté – je peine à le croire – moins d'une semaine plus tôt.

– Comment entrer sans clé ? m'inquiété-je.

Un caillou de taille respectable, une fenêtre mal protégée à l'étage et un peu d'escalade règlent le problème.

– On est chez nous, rappelle Véra. Alors ce n'est pas une effraction, si ?

Je lui emboîte le pas jusqu'à l'antre de Tom, le bureau du rez-de-chaussée où il a déplié son lit de camp.

– J'ai besoin de jus pour l'ordi, indique-t-elle. Tu peux brancher le compteur ?

Une fois l'électricité revenue, Véra fouille dans les fichiers de notre père.

– Ah, la voilà ! La dernière et unique version disponible de *Futur en danger* depuis que l'autre a brûlé dans l'incendie de notre maison.

Elle en réalise une copie sur clé USB, puis envoie le fichier à la corbeille.

– Attends ! m'écrié-je avant qu'elle ne vide celle-ci. Qu'est-ce que tu fais ?

– J'essaie de sauver la vie de Tom.

– En détruisant son travail ?

– Non, en me procurant une monnaie d'échange.

Elle efface le fichier, éteint l'ordinateur et empoche la clé USB.

Je lui barre le passage alors qu'elle se dirige vers la cuisine.

– Tu ne m'as pas tout dit, à l'évidence. Le moment est venu.

– Je n'ai pas envie de te bousculer, Théo. Je n'ai pas dormi depuis une éternité, mais je peux t'écarter d'une seule main.

– Alors explique-moi ce que tu as en tête. Je ne bougerai pas avant.

Nous nous affrontons du regard. Dans celui de Véra, je lis une détermination sans faille. Je me demande ce qu'elle voit dans le mien.

– Tu dois me faire confiance, bro.

– Que contient ce fichier ? Pas seulement le roman de Tom ?

Elle secoue la tête, résignée, puis soupire.

– Notre mère y a caché un programme de sécurité indispensable au fonctionnement d'Enigma. Elle me l'a avoué juste avant l'explosion de son repaire.

– Elle a piraté l'ordi de Tom ?

– Dad a eu pas mal d'échanges sur le Net avec des hackers quand il se documentait pour écrire *Futur en danger*. Elle était l'un d'eux. Elle lui a fourni une partie de l'intrigue. C'est pour ça qu'elle semble si crédible. En fait, Enigma voulait mettre une copie de son précieux programme à l'abri du Conseiller.

– Elle aurait pu l'envoyer directement au colonel, objecté-je.

– Elle ne souhaite pas que le gouvernement utilise la machine... Quoi, qu'est-ce que j'ai dit ? Tu tires une de ces tronches !

Je viens de me rappeler ma brève rencontre avec Flynn et Jorge, les assistants du major et faux agents du trésor public venus poser des mouchards dans notre maison de Beaumont, et sur l'ordinateur de Tom en particulier.

– Kelsey possède déjà une copie du programme.

J'explique en quelques mots comment j'en suis arrivé à cette conclusion.

– Quel faux jeton ! s'écrie Véra. J'ai eu raison de ne pas lui faire confiance. Depuis le début, Barbie et lui nous manipulent. Ils s'intéressent seulement aux inventions de notre mère. Comme BEST. Peu importe le nombre de victimes, ils sont prêts à tout pour se les approprier. Je comprends maintenant pourquoi elle a préféré faire sauter sa baraque et se sacrifier...

– Se sacrifier ?

Véra grimace. Elle n'avait visiblement pas prévu d'aborder le sujet.

– Elle aurait pu s'abriter avec moi dans la fosse protégée, mais elle a choisi de rester à la surface. Pour ne pas tomber entre les mains de Bruce et ta copine. Parce qu'elle se doutait qu'ils allaient l'obliger à poursuivre ses travaux pour leur compte. Et qu'elle refusait de donner à qui que ce soit, entreprise ou gouvernement, le pouvoir d'influencer l'avenir et de contrôler la destinée du monde.

Je médite quelques instants sur cette perspective et le choix terrible opéré par notre mère, à nouveau disparue sitôt retrouvée.

Puis je reporte mon attention sur les vivants :

– Et maintenant ? Comment va-t-on récupérer Tom ?

– On ne peut plus compter que sur nous-mêmes, bro. Mais ça n'empêche pas de faire entrer d'autres cavaliers dans la danse...

Véra

– Plus vite, espèce de boulet ! Tu as insisté pour m'accompagner, alors essaie au moins de tenir le rythme.

Théo halète, à la peine, derrière moi. Une semaine plus tôt, il s'effondrait presque au même endroit, sur ce sentier à flanc de falaise.

Aujourd'hui, il s'accroche. Ça me rend fière de lui.

Je n'en continue pas moins de le malmener, afin qu'il puise l'énergie indispensable dans ses réserves de colère.

– L'heure du rendez-vous approche. Accélère, chiffe molle !

Nous arrivons bientôt à hauteur de la passe au fond de laquelle l'agent de la NSA – Costume gris – et l'homme du Conseiller ont trouvé la mort. Cette fois, nous continuons tout droit. Pas question de courir le risque d'escalader le rocher sans équipement.

Je n'en donne pas l'impression, mais je fonctionne à peine à la moitié de mes capacités. Trop peu de sommeil, trop de stress accumulé ces derniers jours.

Pour ne rien arranger, j'ai dû avaler pas loin d'un litre de boissons énergisantes entre deux coups de fil, tout à l'heure, quand je préparais cette randonnée de la dernière chance.

Autant dire que je suis un brin à cran...

– Tu faiblis, ma parole. Allez, remue-toi ! C'est qui, la chiffe molle ?

Théo est revenu à ma hauteur. L'effort crispe ses traits. Les épreuves l'ont également marqué. Il a changé, d'une certaine façon. Mûri, mais pas seulement. Je le soupçonne de ne pas m'avoir tout raconté durant le trajet depuis Vegas. Cette histoire de coups de feu dans la forêt pétrifiée l'a bouleversé plus qu'il n'a voulu me l'avouer. Une fois de retour au calme, il faudra que je lui demande de m'en parler...

Pour le moment, je dois me concentrer. Plusieurs vies sont en jeu. Celle de Tom, d'abord, et surtout les nôtres. Car je n'oublie pas que nous restons les cibles des tueurs lancés à nos trousses par le Conseiller. Raison pour laquelle je lui ai fixé rendez-vous au sommet de Bald Hill en fin d'après-midi. J'espère qu'on lui a transmis le message adressé à l'Institut – le contraire m'étonnerait en vérité.

OK, ça peut paraître bizarre – paradoxal, dirait Théo – mais je refuse d'être une proie et de continuer à courir ou me planquer. Je préfère négocier. Et si ça ne marche pas, passer au plan B.

Après quatre heures de grimpette, nous atteignons enfin le plateau qui domine cette partie des Badlands, offrant un point de vue unique sur le décor particulier de cette terre aride et sauvage.

Nous nous installons à l'ombre d'un des rares bosquets dispersés alentour pour nous reposer et nous désaltérer.

– Tu crois que le Conseiller va mordre à l'hameçon ? demande Théo.

– Il n'a pas le choix. Sans le programme de notre mère, Enigma ne peut pas fonctionner. La machine risque d'être détruite.

– Tu comptes vraiment lui remettre la clé ? Tu as songé aux conséquences sur le monde ?

Je n'ai fait que ça depuis des heures – en plus de passer quelques coups de fil. Mais je n'ai pas de solution idéale. Parce qu'il n'en existe pas.

– Je veux retrouver ma liberté, bro. Pas toi ?

Je suppose que si, mais un vrombissement nous interrompt soudain. Levant les yeux, j'aperçois le ventre sombre de deux hélicos tombant littéralement du ciel.

L'un des appareils contourne plusieurs fois le plateau tandis que l'autre patiente en vol stationnaire.

Nous émergeons de l'ombre, main dans la main, avec Théo.

Les hélicos finissent par se poser en soulevant un nuage de poussière qui les masque un moment. La nuée dissipée, le Conseiller fait son apparition, encadré par une paire de gorilles.

– Les jumeaux Luck ! s'exclame-t-il en s'avançant à notre rencontre avec un sourire non feint. Je suis ravi de vous rencontrer enfin ensemble. Surtout après notre premier rendez-vous raté, dans le Parkdale Mall...

Je prends le ton le plus autoritaire dont je me sais capable pour lancer :

– J'espère que vous n'êtes pas venu seul. Et je ne parle pas de vos tueurs !

– J'ai respecté vos consignes à la lettre, mademoiselle Luck.

Il adresse un signe aux occupants d'un des hélicos. En sortent d'abord un drôle de duo à la Laurel et Hardy – les acolytes du major Lee, Flynn et Jorge, menottes aux poignets (Théo a insisté pour réclamer leur libération malgré le rôle qu'ils ont joué dans cette histoire et je ne peux rien refuser à mon frangin). Mais je m'intéresse en particulier à celui qui les suit d'un pas raide et mécanique, soutenu par le docteur Beller.

– Dad ! hurlé-je. Ça va ?

– L'effet des sédatifs se dissipe à peine, explique le Conseiller. Ne vous inquiétez pas pour la santé de votre père, jeune fille. Avez-vous apporté ce que vous m'avez promis ?

Je lui montre la clé USB et précise :

– Il n'y a pas d'autre copie. Le deal est simple. Vos prisonniers contre le programme. Ensuite, chacun sa route.

– Une option possible, en effet. En voici une autre : je me débarrasse de la famille Luck ici même, une fois pour toutes, et je récupère cette clé. Qu'en dites-vous ?

J'y avais pensé, bien sûr. J'abats alors mon premier atout :

– Vous oubliez un membre de la famille.

– Cette chère Enigma. Elle a plutôt réussi sa sortie avec cette explosion spectaculaire, je dois l'admettre. Je la croyais fidèle, après toutes ces années. Comme quoi on ne se méfie jamais assez de ses proches collaborateurs !

– Elle a enregistré sa confession sur les secrets de l'Institut Eagle et du groupe BEST. Elle a eu le temps de m'indiquer comment m'en servir en cas de malheur. Je pense que votre employeur serait mécontent si le document circulait soudain sur le Net...

Le Conseiller prend le temps d'essuyer la poussière sur les verres de ses lunettes rondes à l'aide de son gilet avant de répliquer :

– Ce ne serait pas dans son intérêt immédiat, en effet.

Il marque une pause, fait mine de réfléchir avant de conclure sur une grimace désolée :

– Mais je vais tout de même courir le risque, mademoiselle Luck, car les bénéfices escomptés de l'utilisation de la machine dépassent largement les désagréments d'un minable scandale public !

Puis il claque des doigts à l'intention de ses sbires.

– Liquidez-les. Faites attention à ne pas endommager la clé.

OK, puisqu'il le prend ainsi, ce sera donc plan B !

Théo

– Couche-toi, bro !

Je n'ai pas attendu l'ordre de ma sœur pour plonger le nez dans la poussière.

Ce qui ne m'empêche pas d'assister à la suite des événements d'un point de vue privilégié.

Démarrant au quart de tour, Véra fonce en direction de notre père avant que les hommes du Conseiller aient le temps de dégainer leur arme. Ai-je déjà précisé qu'elle détient le record de vitesse de l'équipe de football du lycée ? Ou plutôt qu'elle le détenait, car elle a été radiée des rangs des *Wolverines* suite à une bagarre de trop…

Bref, elle ne tarde pas à plaquer Tom au sol, entraînant dans leur chute le gros barbu qui l'accompagne.

Le tout sous l'œil perplexe du Conseiller. Loin d'être un imbécile, ce dernier comprend vite ce qui se passe.

– À terre ! s'écrie-t-il.

Trop tard cependant.

Un premier sifflement aigu au-dessus de ma tête. Un homme en noir s'effondre.

Un deuxième sifflement, à peine une seconde plus tard. L'autre tueur lâche son pistolet et contemple, hébété, la mince tige métallique dotée d'un empennage qui dépasse de son biceps percé – sait-il qu'il s'agit d'un carreau et non d'une simple flèche ?

Quoi qu'il en soit, ignorant les instructions de son patron, il se rue lui aussi en direction des hélicoptères.

Le bosquet situé à moins de dix pas de celui où nous nous sommes reposés, Véra et moi, se redresse et prend forme humaine. Le *ranger* Nugent, en parfaite tenue de camouflage, se précipite à la poursuite des fuyards avec son arbalète tandis que ses collègues, dissimulés en retrait, investissent le plateau de Bald Hill en brandissant des armes plus conventionnelles.

Heureusement que l'appel de Véra a été pris au sérieux par le bureau des *rangers* de Rapid City ! Et que leur responsable est fan des romans de Tom Luck…

En moins de deux minutes, l'affaire est entendue et la situation sous contrôle.

Je me relève pour rejoindre Véra et Tom. Celui-ci n'a pas l'air dans son assiette. Il nous observe bizarrement.

– Tu te sens bien, papa ?

Tom reste silencieux. Fronce les sourcils. Secoue lentement la tête.

– Dad, dis quelque chose ! insiste Véra.

Tom s'obstine à garder le silence.

Véra saute alors à la gorge du gros barbu et le secoue violemment.

– Qu'est-ce que vous lui avez fait, espèce de pourri ?

– Il ne peut pas vous reconnaître, balbutie le type. J'ai brisé son conditionnement.

Je me jette sur lui à mon tour.

– Quel conditionnement ? De quoi vous parlez ?

Il n'a pas le temps de répondre car un troisième hélico vient de surgir de la vallée dans un épouvantable rugissement de rotor.

Un instant, je crains une ultime ruse du Conseiller, mais je me rassure en identifiant l'appareil du colonel Kelsey.

Ce dernier saute avant l'atterrissage – une manie chez lui –, talonné par le major Lee.

– Merci, *ranger,* félicite-t-il Nugent. Et bravo, belle opération. Je prends le relais à partir de maintenant. J'emporte tout ce petit monde avec moi, précise-t-il en désignant le Conseiller, le gros barbu ainsi que Jorge et Flynn.

– Je peux savoir qui vous êtes ?

– Un officier habilité à vous donner des ordres, *ranger,* rétorque Kelsey en présentant un badge qui en impose visiblement car Nugent se met aussitôt au garde-à-vous.

Le major Lee aide Jorge et Flynn à retirer leurs menottes. Puis elle supervise l'embarquement à bord de l'hélico du colonel.

– Hé, minute ! proteste Véra. Vous n'avez pas le droit de filer comme ça !

– Calme-toi, intime Kelsey sans élever la voix.

Et, curieusement, son autorité naturelle agit sur ma sœur.

– Bon, continue-t-il, j'aime mieux ça. Je te remercie de nous avoir permis d'appréhender ces suspects. Grâce à toi et ton frère, le groupe BEST ne représente plus de menace pour notre gouvernement…

– Vous nous avez manipulés à Vegas, comprend alors Véra.

– Je me doutais que tu nous cachais quelque chose. Et que tu ne résisterais pas à une Cadillac. J'enverrai quelqu'un la récupérer. Ainsi que les cartes de crédit.

– Vous avez organisé notre fuite jusque dans le Dakota. Drôlement risqué de votre part…

– Négatif. Le major ne vous a pas lâchés d'une semelle, prête à intervenir au moindre incident. Mais vous vous êtes parfaitement débrouillés. Le traquenard en pleine nature, avec les *rangers*, vraiment du beau boulot !

Le colonel tend la main, paume ouverte.

– Le programme, je te prie. Oh, ne fais pas cette tête ! Bien sûr que je suis au courant de l'existence de cette copie. J'appartiens à la NSA, je te rappelle. Je peux mettre sur écoute autant de téléphones que je le désire…

Véra lui remet la clé USB sans discuter. Je m'étonne qu'elle n'oppose aucune résistance. Aurait-elle enfin rencontré quelqu'un capable de la mater ?

J'interviens à mon tour, tentant de plaider notre cause auprès du major Lee :

– Et pour Tom, que fait-on ? Il a perdu la mémoire !

– Je suis désolée, Théo. Vous avez récupéré votre père et vous n'êtes plus en danger, maintenant. Ma mission s'achève ici. On ne se reverra sans doute pas.

Elle approche alors ses lèvres et me dépose un chaste baiser sur la joue.

– Mais…

Pour une fois, je ne trouve rien d'autre à dire. Désemparé, j'assiste au départ du major et de son supérieur.

La main de ma sœur se glisse dans la mienne.

– Viens, souffle-t-elle, rentrons chez nous. Après-demain, on a un rendez-vous à ne pas manquer. Et je préfère être loin quand ce sous-Bruce Willis s'apercevra que la clé contient seulement les notes de travail de Tom sur *Futur en danger*.

– Quoi ? Et le programme de notre mère ?

– Jeté à la corbeille avec le manuscrit. Effacé. On n'est pas près d'entendre à nouveau parler d'Enigma.

Véra et Théo

Aujourd'hui, c'est notre anniversaire.

Nous fêtons nos seize ans.

Comme d'habitude, ou presque.

Cette année encore, nous nous sommes habillés pour l'occasion et nous avons pris la route du crématorium.

Il a fallu indiquer la bonne direction à notre père, car il l'a oubliée.

Comme il a oublié beaucoup d'autres choses, à commencer par qui il est et qui nous sommes.

Arrivés sur place, nous tombons sur une drôle de surprise.

Quelqu'un a déposé un bouquet de fleurs fraîches devant le cadre contenant la photo de notre mère.

Avec une enveloppe glissée entre les tiges.

Et sur cette dernière, un E majuscule tracé à la main.

E comme Enigma.

À l'intérieur de l'enveloppe, trois billets d'avion dans une pochette cartonnée.

À destination de Paris.

Pas celui de notre Texas, non.

Paris, France, Europe.

Et trois mots griffonnés sur la pochette, trois mots tout simples qui nous remplissent autant de crainte que d'espoir :

« *Je vous attends*. »

Retrouvez Véra et Théo dans

TOME 2

à paraître au printemps 2015

L'AUTEUR

Johan Heliot est né en 1970 dans l'Est de la France, où il vit toujours entouré de ses chats, à l'ombre des montagnes vosgiennes. Ex-professeur de lettres et d'histoire-géo, il se consacre à l'écriture depuis une douzaine d'années.
Depuis la parution de *La lune seule le sait*, prix Rosny Aîné en 2000, il a signé plus de cinquante romans pour adultes comme pour la jeunesse, en science-fiction comme en fantasy, dont le très remarqué *Ados sous contrôle* au Livre de Poche en 2013 et le récent *Françatome* dans la collection *Hélios* chez Mnémos ou le recueil *Tu veux savoir ?* chez Thierry Magnier.

Dans la même collection :

Dans la peau d'une autre

Star de la chanson
à 16 ans, Lydia dépend
de ses managers.
Séquestrée dans
une clinique,
elle comprend qu'on tente
de la manipuler
sous hypnose…
et que le pire est à venir.

Dans tes rêves

Adolescente,
Cassy possède
un don extraordinaire :
elle peut entrer
dans les rêves des autres
et y découvrir les secrets
les mieux enfouis.
Mais s'agit-il d'une force…
ou d'un piège ?

RAGEOT ✸ *THRILLER*

Fabien Clavel

Métro Z

« Avec un art consommé
du suspense, Fabien Clavel
nous entraîne
dans une course échevelée,
extraordinaire
mais en même temps
étrangement plausible.
Après avoir lu ce roman,
qui osera encore prendre
le métro ? »

Jean Marigny

Décollage immédiat

Prix des Incorruptibles
2013-2014

Nuit blanche au lycée

Prix Rablog Saint-Maur
en poche Ados 2013

RAGEOT ✸ *THRILLER*

Philip Le Roy

La Brigade des fous

« De la pure dynamite,
un blockbuster littéraire
qui ravira les amateurs
de sensations fortes. »

Polars Pourpres

Tome 1 : **Blackzone**

Tome 2 : **Red code**

Tome 3 : **White shadow**

Blog, avant-première, forum…

Adopte la livre attitude !

www.livre-attitude.fr

RAGEOT s'engage pour l'environnement en réduisant l'empreinte carbone de ses livres. Celle de cet exemplaire est de :
445 g éq. CO_2
Rendez-vous sur www.rageot-durable.fr

Achevé d'imprimer en France en septembre 2014
sur les presses de Normandie Roto s. a. s.
Couverture imprimée par l'imprimerie Boutaux (28)
Dépôt légal : octobre 2014
N° d'édition : 6161 - 01
N° d'impression : 1403565